Guy Saint-Jean Éditeur
3440, boul. Industriel
Laval (Québec) Canada H7L 4R9
450 663-1777
info@saint-jeanediteur.com
www.saint-jeanediteur.com

. . . .

**Catalogage avant publication de Bibliothèque et Archives nationales
du Québec et Bibliothèque et Archives Canada**
Koch, Marlene
[*Eat more of what you love.* Français]
Mange donc ce que tu aimes
Traduction de: *Eat more of what you love.*
Comprend un index.
ISBN 978-2-89455-716-7
1. Régimes hypolipidiques - Recettes. 2. Régimes sans sucre - Recettes. 3. Livres de recettes.
I. Titre. II. Titre: *Eat more of what you love.* Français.
RM237.7.K6214 2014   641.5'638   C2013-942668-X

. . . .

Nous reconnaissons l'aide financière du gouvernement du Canada par l'entremise
du Fonds du livre du Canada (FLC) ainsi que celle de la SODEC pour nos activités d'édition.

Canadä   ▮♦▮ Patrimoine   Canadian   SODEC
                canadien   Heritage   Québec▦▦

Gouvernement du Québec – Programme de crédit d'impôt pour l'édition de livres – Gestion Sodec

Publié originalement en 2012 sous le titre *Eat More of What you Love* par Running Press,
une entité membre de Perseus Books Group
First published in the United States by Running Press, a member of the Perseus Books Group
© 2012, Marlene Koch/© 2012 by Marlene Koch
© 2012, Steve Legato pour les photographies/ Photographs © 2012 by Steve Legato

© 2014, Guy Saint-Jean Éditeur Inc. pour l'édition en langue française
Traduction et révision: Linda Nantel
Correction d'épreuves: Audrey Faille
Infographie et conception de la couverture: Christiane Séguin

Dépôt légal — Bibliothèque et Archives nationales du Québec, Bibliothèque et Archives Canada, 2014
ISBN: 978-2-89455-716-7
PDF: 978-2-89455-722-8

Distribution et diffusion
Amérique: Prologue
France: Dilisco S.A.
Belgique: La Caravelle S.A.
Suisse: Transat S.A.

Imprimé au Canada
1re impression, janvier 2014

 Guy Saint-Jean Éditeur est membre de
l'Association nationale des éditeurs de livres (ANEL).

MARLENE KOCH

MANGE DONC CE QUE TU AIMES

Recettes faibles en gras, en sucre et en calories

Photographies
STEVE LEGATO

Traduit de l'anglais par
LINDA NANTEL

Guy Saint-Jean
ÉDITEUR

Je dédie ce livre à Stephen et à James.

Je vous aime de plus en plus chaque jour.

Table des matières

Introduction

Je vous affirme d'emblée et avec beaucoup d'enthousiasme que vous pouvez manger tous les aliments que vous aimez sans craindre de consommer un surplus néfaste de sucre, de gras ou de calories. Ce livre vous permettra de perdre du poids tout en maintenant la stabilité de votre taux de glycémie en plus d'avoir la satisfaction de combler votre famille avec des plats savoureux vraiment bons pour la santé.

Personne n'a envie de renoncer à ses aliments préférés et personne ne devrait être contraint à un tel sacrifice. En tant que nutritionniste et fin gourmet, je sais qu'il est possible de faire des repas bons au goût et bons pour la santé. Ma mission consiste à créer des recettes qui sauront plaire à toute personne soucieuse d'avoir une bonne alimentation ou qui est aux prises avec un problème de santé (obésité, diabète, hypertension, etc.).

J'ai élaboré pour vous des recettes mettant en vedette vos aliments préférés, mais elles contiennent moins de sucre, de sel, de gras et de calories que les autres recettes de même type. J'ai même créé des plats semblables à ceux servis au restaurant en les allégeant considérablement : burgers, pizzas, poulet frit, gâteau au fromage et beaucoup d'autres mets irrésistibles. Un chapitre entier est consacré aux petits gâteaux et un autre aux biscuits et aux gâteaux maison.

La plupart des recettes sont accompagnées de conseils qui vous feront gagner du temps en cuisine tout en améliorant le goût ou la présentation de vos plats. Je vous garantis que ce livre vous aidera à vous sentir mieux et à jouir d'une meilleure santé. Les membres de votre famille pourront eux aussi profiter de ces belles recettes qui ont l'avantage de plaire autant aux petits qu'aux grands gourmands.

Je vous souhaite de faire de belles découvertes !

Marlene

CONSEILS POUR MANGER SANTÉ

Il est toujours très difficile de renoncer à nos aliments préférés, car ce sont ceux que nous mangeons le plus souvent et qui nous donnent envie de faire des excès. Malheureusement, ils ne sont pas toujours les meilleurs pour notre santé, car on sait que les aliments riches en sucre et en gras envoient à notre cerveau de puissants signaux de satisfaction nous incitant à manger davantage. Si vous êtes comme moi, la simple lecture des mots « crémeux », « croustillant », « salé » et « sucré » suffit à vous faire saliver et à aiguiser votre appétit. Voilà pourquoi le fait de se priver de ce que l'on aime le plus ne donne jamais les résultats escomptés. Je suis donc enchantée de vous annoncer que mes recettes allient harmonieusement bon goût et bonne santé. Au lieu de sacrifier vos mets préférés, vous pourrez en manger davantage ! Je vous offre des recettes faciles à faire et accompagnées de trucs santé qui vous aideront à réduire votre consommation de sucre, de gras et de calories tout en surveillant de près la teneur en glucides et en sodium de vos repas. En adoptant ce mode d'alimentation, vous jouirez d'une meilleure santé tout en comblant vos papilles de satisfaction ! En tant que cuisinière professionnelle, ma priorité est de faire en sorte que toutes mes créations culinaires soient délicieuses. En tant que nutritionniste, ma principale responsabilité consiste à concocter des recettes synonymes de bonne alimentation. Je crois fermement que nous avons tous le droit de manger ce que nous aimons le plus sans nuire pour autant à notre bien-être. Pour vous aider à entreprendre ce nouveau cheminement en toute sérénité, je vous livre quelques trucs qui auront un impact positif réel sur votre santé et celle des personnes que vous aimez.

1. LES CALORIES

Oui, il est important de compter les calories. La calorie est une mesure permettant de calculer la quantité d'énergie fournie par un aliment. Il est bon de se rappeler que les calories fournissent l'énergie nécessaire à toutes nos actions – y compris la respiration. Lorsque nous en absorbons une trop grande quantité (quoi de plus facile ?), nous prenons inévitablement du poids. Vous n'ignorez sans doute pas qu'il est très important de maintenir un poids santé en veillant au bon équilibre entre les calories que nous ingérons et celles que nous brûlons grâce à nos activités quotidiennes. La plupart d'entre nous ont besoin de 1800 à 2400 calories par jour. Si on souhaite perdre du poids, on doit donc brûler plus de calories que ce que l'on consomme.

Le meilleur conseil pour votre santé est de brûler autant de calories que vous en consommez.

Voici un bon conseil pour perdre du poids : le type de régime que vous suivez (ex. : faible en gras ou en glucides, riche en protéines) et le calcul de « points », de grammes de gras ou de glucides n'ont pas vraiment d'importance puisque notre corps compte uniquement les calories ! C'est ce qui m'a poussée à créer des recettes qui vous permettront de consommer moins de calories. Vous n'avez qu'à préparer et à savourer les délicieux plats de ce livre sans devenir obsédé par le compte de calories. Tous les aliments que vous aimez sont ici, mais sans les calories en trop !

2. LES GRAS

Même si les diététistes et les nutritionnistes n'ont pas encore fini de débattre la question du gras, voici quelques faits. Nous avons tous besoin de consommer du gras, car il confère une bonne odeur et beaucoup de goût aux aliments en plus de leur donner une texture crémeuse ou croustillante. Il rend la peau souple et les cheveux brillants sans compter qu'il permet à notre organisme d'absorber des vitamines essentielles (A, D, E et K). Contrairement aux calories, tous les gras ne sont pas équivalents. Certains gras, comme les gras trans (présents principalement dans les craquelins, les produits de boulangerie et les pâtisseries du commerce ainsi que certaines margarines) et les gras saturés (beurre, viande, fromages gras) peuvent augmenter les risques de maladie cardiaque. En revanche, les bons gras (polyinsaturés, mono-insaturés et acides gras oméga-3), surtout présents dans les noix, graines, avocats, huiles liquides et poissons, peuvent réduire les risques de cardiopathie et d'autres maladies. Il est donc capital que l'on consomme surtout de bons gras. Seulement 10 % des calories que l'on mange quotidiennement devraient provenir des gras saturés. Quant aux gras trans, il est recommandé de les éviter le plus possible.

Si vous voulez perdre du poids, n'oubliez pas que tous les gras — bon ou mauvais — contiennent beaucoup de calories (le gras renferme deux fois plus de calories par gramme que les protéines ou les glucides). Il faut donc modérer sa consommation puisque tout surplus de calories entraîne immanquablement une prise de poids.

Pour améliorer votre santé et réduire votre taille, mangez donc de bons gras, mais en quantité modérée. Mes recettes vous aideront à modifier judicieusement vos habitudes alimentaires sans que vos papilles y perdent au change. J'utilise abondamment les meilleures sources de gras pour la santé (noix, huile de canola/colza, huile d'olive, saumon). Pour ce qui est des gras moins recommandables (viande, fromage, chocolat), je coupe les quantités de manière que vous puissiez continuer d'en manger sans hypothéquer votre santé. J'ai passé beaucoup de temps en cuisine pour trouver des façons efficaces d'éliminer une grande partie du gras dans vos plats favoris et même dans les desserts.

Pour améliorer votre santé et réduire votre taille, mangez de bons gras, mais en quantité modérée.

---

3. LES GLUCIDES

Aimez-vous les glucides ? Il s'agit de la source d'énergie préférée de la plupart des gens. Tout comme l'essence permet de faire fonctionner un véhicule, les glucides nous procurent l'énergie nécessaire pour vaquer à nos diverses occupations. Le problème est que nous puisons trop souvent nos glucides dans la corbeille à pain, la purée de pommes de terre,

---

Grains entiers, fruits, légumes et légumineuses sont remplis de bons nutriments en plus d'être des alliés du taux de glycémie.

---

les pâtes et les gâteaux remplis de sucre. Cette mauvaise habitude peut finir par créer de sérieux problèmes de santé. Comme les gras, les glucides n'ont pas tous la même qualité. Les sucres raffinés, comme le sucre et le pain blanc non enrichi, augmentent rapidement la glycémie et le compte de calories sans offrir d'intérêt sur le plan nutritif. En revanche, les sucres complexes (grains entiers, fruits et légumes, légumineuses) maintiennent la stabilité du taux de glycémie en plus d'offrir une belle variété de nutriments. Toutes les recettes de ce livre tiennent compte de l'apport en glucides des aliments. Dans la mesure du possible, j'ai utilisé des ingrédients contenant des sucres complexes (farine blanche de blé entier, flocons d'avoine, légumineuses riches en fibres, fruits frais ou surgelés, légumes non féculents), car ceux-ci sont assimilés lentement par l'organisme. J'ai employé avec parcimonie les sucres raffinés comme le sucre, le riz blanc et les pains pauvres en fibres.

Pour chacune des recettes, j'ai prêté une attention toute spéciale à la quantité totale de glucides de sorte que si vous suivez un régime pauvre en glucides (diabète, perte de poids, etc.), vous pourrez quand même consommer vos aliments préférés sans nuire à votre bien-être. (Voir page 10 pour plus d'information sur ce type de régimes.) Si vous adorez les pommes de terre, prenez le temps de lire l'encadré de la page 145.

4. LE SUCRE

Comme la plupart des gens, j'aime le sucre. En plus de donner bon goût aux aliments, il améliore la texture et la structure de plusieurs préparations et produits de boulangerie. Même si je considère que tous les régimes devraient pouvoir intégrer une petite quantité de sucre, j'en mets une quantité minimale dans mes recettes. Tous les glucides sont composés de molécules de sucre et finissent par se décomposer en glucose. Les sucres lents (fruits, légumes, pains, pâtes) sont composés de plusieurs molécules de sucre tandis que les sucres simples ou rapides (miel, mélasse, cassonade, sucre blanc, sucre roux, fructose) ne contiennent qu'une ou deux molécules de sucre. Notre corps a donc plus de facilité

à décomposer ces derniers à cause de leur structure moléculaire simple leur permettant d'entrer rapidement dans notre système sanguin. Le sucre nous permet donc d'avoir accès rapidement à une source d'énergie, ce qui est une bonne chose en soi, mais malheureusement une consommation exagérée peut occasionner d'importants problèmes de

---

Pour votre santé et votre taille, évitez les sucres ajoutés.

---

santé. La plupart des sucres lents sont riches en vitamines et en minéraux tandis que les sucres simples (monosaccharides) regorgent de calories vides pouvant mener à un surplus de poids ou augmenter les risques de diabète de type 2. De plus, ils affaiblissent le système immunitaire et augmentent les risques de maladie cardiaque et de différents types de cancers.

L'Américain moyen consomme 85 g, soit 20 c. à thé (à café), de sucre par jour même si les nouvelles directives de l'Association américaine des maladies du cœur (qui s'adressent aussi aux personnes atteintes de diabète) recommandent aux femmes de ne pas consommer plus de 6 c. à thé (à café) de sucres ajoutés par jour et aux hommes pas plus de 9. Pour votre santé et votre taille, évitez les sucres ajoutés sans renoncer pour autant à savourer de bons desserts. Lisez la page 30 pour savoir comment remplacer le sucre dans vos mets sucrés. L'édulcorant sans calories à base de sucralose est très utile dans de nombreuses recettes. Si vous préférez le vrai sucre, vous trouverez des renseignements pertinents quant à la meilleure façon de l'employer dans les desserts. Quel que soit votre choix de sucre ou d'édulcorant, vous aurez de quoi vous satisfaire sans vous priver de ce que vous aimez le plus.

5. LES FIBRES

Enfin quelque chose qu'on peut consommer en grandes quantités sans se faire sermonner ! Les fibres sont un type de glucides qui ne se digèrent pas. Elles n'ont pas de calories et n'augmentent pas la glycémie. Les fibres sont solubles ou non solubles. Ces dernières sont présentes dans les graines et la pelure des fruits et des légumes, ce qui facilite la

---

Un régime riche en fibres peut accélérer la perte de poids, diminuer le taux de glycémie et procurer une agréable sensation de satiété.

---

digestion. Les fibres solubles offrent toutefois davantage de bienfaits que les fibres non solubles pour notre santé. On sait par exemple qu'elles réduisent les risques de souffrir de nombreuses maladies (ex. : cancer du côlon,

cancer du sein, obésité). Un régime riche en fibres peut accélérer la perte de poids, diminuer le taux de glycémie et procurer une agréable sensation de satiété.

Pour profiter au maximum des bienfaits des fibres, consommez-en de 20 à 35 g par jour. Pour vous encourager à le faire, j'ai inclus dans plusieurs recettes des ingrédients à haute teneur en fibres vraiment savoureux (farine blanche de blé entier, riz brun instantané, légumineuses, pains allégés, tortillas riches en fibres, etc.). Si vous n'avez encore jamais goûté ces aliments, n'ayez crainte, car je les ai servis à ma famille — qui adore pourtant les aliments à base de farine blanche — avec beaucoup de succès.

6. LES PROTÉINES

Il est très satisfaisant de consommer des aliments riches en protéines. Un régime riche en protéines maigres procure un véritable sentiment de satiété. Voici pourquoi : **1)** Les protéines requièrent plus d'énergie pour être digérées et elles se transforment plus facilement en énergie que les glucides ou les gras. **2)** Elles comblent l'appétit plus rapidement et pendant une plus longue période. **3)** Elles diminuent l'appétit en plus de minimiser la perte de masse musculaire maigre au cours d'un régime (ce sont les muscles qui brûlent le plus de calories !). Il est important de savoir que pour maigrir en mangeant des protéines, il faut consommer des protéines maigres.

La plupart des gens consomment davantage de protéines pendant le repas du soir. Pourtant, l'importance de consommer des protéines à chaque repas — surtout au petit-déjeuner — a été démontrée scientifiquement. Vous trouverez donc dans ce livre des recettes qui vous permettront de faire le plein de protéines tout en perdant du poids. Le matin et le midi, vous pourrez prendre un bon repas qui vous gardera alerte et énergique pendant plusieurs heures. Le soir, vous aimerez vous gâter avec de bons plats de viande, de volaille, de poisson ou de fruits de mer fort appétissants. Qui a dit qu'un régime devait être triste ?

> Un régime riche en protéines maigres procure un véritable sentiment de satiété.

7. LE SODIUM

Les chefs reprochent souvent aux personnes qui cuisinent à la maison de ne pas utiliser suffisamment de sel. Malheureusement, trop de repas servis au restaurant contiennent des milliers de milligrammes de sodium (parfois même dans un seul plat !). La surconsommation de sel est responsable de l'hypertension et augmente les risques de maladie cardiaque. Il ne faudrait pas consommer plus de 2300 mg de sodium par jour, soit l'équivalent de 1 c. à thé (à café) de sel ajouté. Les personnes souffrant d'hypertension ou d'autres maladies spécifiques devraient même en consommer moins. Commencez dès maintenant à surveiller votre consommation de sel. À mon avis, la meilleure façon de consommer moins de sel est de cuisiner plus souvent à la maison.

> À mon avis, la meilleure façon de consommer moins de sel est de cuisiner plus souvent à la maison.

Prenez le temps d'apprêter des ingrédients frais en évitant les produits du commerce trop riches en sel. Dans mes recettes, je prends toujours soin d'utiliser des produits pauvres en sodium (bouillons, sauce soja, etc.) et d'employer certaines techniques bonnes pour la santé (ex. : rincer les légumineuses en conserve avant de les intégrer aux recettes). Je vous assure que même les recettes de ce livre ayant une teneur légèrement élevée en sel en contiennent beaucoup moins qu'un plat semblable servi au restaurant. Si vous souhaitez réduire sérieusement votre apport en sodium, ajustez la quantité de sel en conséquence. Lisez la page 74 pour en apprendre davantage sur l'utilisation judicieuse du sel.

LE DIABÈTE : PRÉVENTION ET ALIMENTATION

Depuis plusieurs années, je m'applique à créer de délicieux desserts sans sucre destinés à tous, y compris aux personnes souffrant de diabète. Deux membres de ma famille étant aux prises avec cette maladie, je sais à quel point il peut être difficile de se priver de ses aliments favoris. Un jour, un lecteur a eu la gentillesse de m'écrire ceci : «J'ai le diabète depuis plus de 40 ans et je n'ai jamais aussi bien mangé grâce à vous.» Plusieurs autres personnes m'ont dit à quel point mes recettes les avaient aidées à mieux contrôler leur taux de glycémie, à perdre du poids et à même réduire leurs besoins en médicaments. J'ai été particulièrement touchée d'apprendre qu'elles avaient pu modifier leur alimentation sans difficulté. Toutes ces bonnes nouvelles m'ont encouragée à inventer les recettes du présent ouvrage qui s'adressent à l'ensemble de la population, y compris aux personnes atteintes de diabète. Dans les pages suivantes, vous trouverez des recettes de pâtes, de pizzas, de pommes de terre et de desserts qui vous mettront l'eau à la bouche. Vous pouvez les déguster sans inquiétude, car elles sont bonnes pour tout le monde (sauf en cas d'allergie ou d'intolérance à un ingrédient précis ou d'une recommandation médicale).

Pour avoir une idée plus précise de ce qu'est le diabète, il faut d'abord parler de ces deux choses qui circulent normalement dans notre sang : le glucose et l'insuline. Lorsqu'on a le diabète, notre corps est incapable d'utiliser ou de stocker le glucose (sucre) sanguin provenant des glucides (amidon et sucre). Dans le cas du diabète de type 1, le pancréas sécrète peu ou pas d'insuline, une hormone qui aide à diminuer le taux de glucose dans le sang grâce à son effet hypoglycémiant. (L'insuline agit comme une clé capable d'ouvrir les cellules qui resteraient autrement « fermées à clé », empêchant ainsi le glucose d'y entrer pour assurer la production énergétique.) Dans le diabète de type 2, le corps ne produit pas suffisamment d'insuline ou encore les cellules ignorent ou résistent à cette hormone produite par l'organisme, créant ainsi ce que l'on appelle de l'insulinorésistance. Lorsqu'on ne produit pas suffisamment d'insuline ou lorsque celle-ci est incapable de remplir correctement son rôle, le glucose s'accumule dans le sang à des niveaux pouvant entraîner de graves conséquences pour la santé.

Si vous êtes aux prises avec cette maladie ou si l'un de vos proches en souffre, sachez que vous n'êtes pas seul. Aux États-Unis, on estime que 26 millions de personnes sont atteintes, et ce chiffre ne cesse d'augmenter. Avant de développer un diabète de type 2, la plupart des gens souffrent de « prédiabète », ce qui signifie que leur taux de glucose est plus élevé que la normale, mais pas assez pour avoir recours aux médicaments destinés aux personnes atteintes de diabète.

Plusieurs facteurs contribuent à l'apparition du diabète de type 2 (génétique, origine ethnique, âge), mais le plus grand facteur de risque ne se trouve pas dans vos gènes mais bien dans la taille de votre pantalon ! Pour diminuer vos risques d'être atteint de cette maladie, il est important de maintenir un poids santé. Bonne nouvelle : on peut prévenir 8 cas de diabète de type 2 sur 10 grâce à une perte de poids, à un programme régulier d'activité physique et à un régime riche en fibres

---

Le plus grand facteur de risque en ce qui a trait au diabète de type 2 ne se trouve pas dans vos gènes mais bien dans la taille de votre pantalon !

---

et pauvre en gras saturés et en gras trans. Si vous avez des symptômes de prédiabète, voyez-y dès maintenant avant qu'il ne soit trop tard. Il a été démontré cliniquement qu'une modeste perte de poids (aussi peu que 5 à 7 % du poids corporel) et qu'un programme d'exercice modéré (30 minutes de marche cinq fois par semaine) pouvaient repousser ou même prévenir l'apparition du diabète de type 2 chez les personnes déjà aux prises avec un prédiabète. Si vous avez déjà le diabète de type 2, sachez que vous pouvez quand même reprendre le contrôle de votre santé en prenant les mesures nécessaires sans tarder.

Les recettes de ce livre peuvent vous aider à entreprendre une telle démarche. Même les recettes les plus savoureuses de cet ouvrage ont été conçues en pensant aux personnes diabétiques. Pendant mon travail de rédaction, je n'ai jamais oublié que manger était l'un des plus grands plaisirs de la vie, et ce, que l'on soit malade ou en bonne santé. Je suis heureuse de vous rappeler que vous pouvez manger tous les aliments que vous aimez à condition de surveiller de près votre consommation de glucides, votre taux de glycémie et votre poids. Pour apprendre comment bien planifier vos repas et découvrir de belles recettes, je vous invite à poursuivre votre lecture.

LA PLANIFICATION DES MENUS

Il n'est pas nécessaire de planifier ses menus pour profiter pleinement des bienfaits santé de ce livre. Vous pouvez simplement préparer les recettes en sachant qu'elles sont toutes bonnes pour la santé. Des personnes qui ont adopté mes recettes par le passé m'ont affirmé qu'elles avaient perdu du poids et augmenté leur énergie sans se préoccuper de calculer les calories, les glucides, les équivalences alimentaires ou les «points». D'autres, au contraire, ont découvert qu'en planifiant mieux leurs menus, elles étaient moins tentées de laisser tomber leur régime. Des recherches ont démontré qu'un peu de planification pouvait être très utile à ceux qui souhaitent améliorer leur santé, surveiller leur taux de glycémie (un devoir essentiel pour les personnes diabétiques), perdre du poids ou simplement manger mieux. La planification des menus est un outil des plus simples qui vous permet de décider à l'avance ce que vous mangerez, à quel moment et en quelle quantité. Ce chapitre vous renseignera sur différents types de planification des menus afin que vous puissiez jouir d'une meilleure santé. Vous y trouverez aussi des données intéressantes sur le tableau d'information nutritionnelle qui accompagne toutes les recettes de ce livre.

ÉQUILIBREZ LE CONTENU DE VOTRE ASSIETTE

Cette méthode vous permettra de remplir votre assiette d'aliments santé sans jamais exagérer les quantités. Je vous recommande de la remplir à moitié de légumes non féculents et de fruits non sucrés. L'autre moitié doit contenir des protéines et des féculents. J'aime la simplicité de cette méthode qui permet de combler l'appétit tout en surveillant son poids et son taux de glycémie.

Pour vous assurer que votre repas contiendra une quantité modérée de glucides et de calories, prenez l'habitude d'utiliser une assiette de 23 cm (9 po). Remplissez-la à moitié de légumes non féculents et de salade. Un autre quart de l'assiette doit contenir un mets d'accompagnement contenant des féculents (environ une portion d'une des recettes du

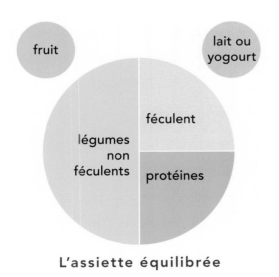

L'assiette équilibrée

chapitre « Plats d'accompagnement ») ou du pain. Le dernier quart de l'assiette doit être composé de viande maigre, de poisson ou de fruits de mer. Si vous servez des pâtes, contentez-vous d'une seule portion et remplissez le reste de l'assiette de salade et de légumes non féculents. Pour faire un repas complet, ajoutez un verre de lait écrémé ou pauvre en matière grasse de 250 ml (8 oz) ou un yogourt et une portion de fruit frais. (Si vous devez surveiller votre consommation de glucides de près, réservez vos portions de fruits ou de produits laitiers pour l'heure du goûter.)

LE CALCUL DES CALORIES

Une bonne façon de surveiller son poids est de maintenir un bon équilibre entre les calories que l'on ingère et celles que l'on dépense. Même si le calcul des calories semble souvent fastidieux pour certains, d'autres en ont fait un véritable mode de vie.

Le nombre de calories nécessaires à votre bon fonctionnement dépend de plusieurs facteurs (sexe, âge, taille, poids, activité physique, etc.). Il faut aussi tenir compte du but que vous vous êtes fixé : maintenir votre poids, sinon en perdre ou en gagner — et à quel rythme. Sans devenir obsédé par les calories, il est important de savoir combien vous en avez besoin chaque jour. Consultez votre médecin ou un diététiste compétent pour avoir une idée précise de votre consommation calorique idéale.

J'ai créé les recettes de ce livre en calculant minutieusement les calories afin qu'elles soient à la fois bonnes au goût et bonnes pour la santé. J'ai éliminé les calories additionnelles provenant des gras et des sucres non indispensables. On sait que pour maintenir son poids, une femme moyennement active a généralement besoin de 1800 à 2200 calories par jour et un homme de 2200 à 2700 calories.

LE CALCUL DES GLUCIDES

Une alimentation saine (y compris pour les personnes atteintes de diabète) doit inclure des fruits, des légumes, des céréales complètes et des produits laitiers pauvres en matière grasse. Parmi tous les nutriments que nous absorbons, les glucides sont ceux qui ont le plus d'impact sur la glycémie. Il est donc essentiel de contrôler sa consommation de glucides pour mieux gérer son taux de glycémie (surtout si l'on est atteint de diabète).

Comme pour les calories, la quantité de glucides dont vous avez besoin dépend de plusieurs facteurs (sexe, poids, activité physique). Pour surveiller votre taux de glycémie et jouir d'une bonne énergie, il est bon d'étaler équitablement votre consommation de glucides tout au long de la journée au lieu de les consommer au cours d'un même repas. Les femmes diabétiques ou qui souhaitent perdre du poids doivent consommer 45 g de glucides par repas et les hommes, 60 g. Un goûter devrait en contenir de 15 à 22 g.

À la fin de chaque recette, dans le tableau consacré à l'information nutritionnelle, vous trouverez les mentions « Glucides » et « Choix de glucides ». Plusieurs spécialistes de la gestion du diabète utilisent les « Choix de glucides » pour mieux équilibrer la quantité de glucides consommés à chaque repas ou au goûter. On divise simplement par 15 le nombre de glucides total contenu dans un plat (voir tableau ci-après). Ainsi, chaque choix de glucides = 15 g de glucides. La plupart des femmes peuvent se permettre 3 choix de glucides par repas et les hommes, 4 par repas. Un goûter ne devrait pas contenir plus de 1 à 1 ½ choix de glucides.

Même s'il est relativement facile de calculer le nombre de glucides, il faut toutefois

Glucides	Choix de glucides
0–5	0
6–10	½
11–20	1
21–25	1½
26–35	2
36–40	2½
41–50	3
51–55	3½
56–65	4

être très vigilant pour bien gérer son « budget de glucides ». Les recettes de ce livre vous aideront à surveiller de près votre taux de glycémie et à ne pas consommer de glucides avec excès. Je vous invite à consulter un médecin, un diététiste ou un spécialiste du diabète pour vous aider à mieux comprendre cette dimension importante d'une saine alimentation.

LES ÉQUIVALENCES ALIMENTAIRES

Cette méthode de planification des menus est très populaire auprès des personnes diabétiques. Les aliments figurant dans chaque liste contiennent un nombre similaire de calories, de glucides, de protéines et de matière grasse, et leur effet sur le taux de glycémie est le même. Cela signifie qu'un aliment du groupe peut être « échangé » contre un autre du même groupe. Par exemple, une équivalence en féculent est de 80 calories, 15 g de glucides et 1 à 2 g de gras. Une équivalence du groupe des féculents correspond à une tranche de pain, à 125 g (½ tasse) de gruau cuit ou au quart d'un gros bagel. Lorsque vous adoptez ce système, vous pouvez donc « échanger » une tranche de pain contre 125 g (½ tasse) de gruau ou le quart d'un bagel. En variant le nombre de portions à l'intérieur des différents groupes d'aliments, vous pouvez combler tous vos besoins en nutriments sans excéder le nombre de glucides, de gras et de calories auquel vous avez droit. À chaque repas ou goûter, le nombre de portions

permis dans chaque groupe peut varier selon vos besoins individuels. Consultez un professionnel de la santé ou de l'alimentation pour bien comprendre le fonctionnement de cette méthode et mieux connaître vos besoins personnels.

J'ai mentionné les équivalences alimentaires dans chacune des recettes pour ceux qui ont déjà adopté ce système. Les groupes alimentaires sont les suivants :

• FÉCULENTS (pains, pâtes, riz, légumineuses, pommes de terre, maïs)

• LÉGUMES (tous les légumes non féculents)

• FRUITS (tous les fruits et jus de fruits)

• LAIT (yogourt sans gras ou pauvre en matière grasse)

• VIANDE (viandes maigres ou mi-maigres, fromages, œufs)

• GRAS (huile, beurre, margarine, noix et autres gras ajoutés)

• GLUCIDES (sucre et desserts)

L'INFORMATION NUTRITIONNELLE

Chaque recette est suivie d'un tableau d'information nutritionnelle complet qui vous permettra de faire des choix santé plus judicieux répondant à vos besoins personnels. Les données ont été calculées à l'aide des étiquettes figurant sur différents produits du commerce.

- **ÉQUIVALENCES ALIMENTAIRES** : elles respectent les directives établies par des professionnels de la santé. Les valeurs ont été arrondies au demi-point le plus proche. Pour plus de détail, lisez le paragraphe intitulé « Les équivalences alimentaires », à la page 19.

- **CHOIX DE GLUCIDES** : ils ont été calculés selon les règles établies par des professionnels de la santé. Pour plus de détail, lisez le paragraphe intitulé « Le calcul des glucides », à la page 18.

- **WEIGHT WATCHERS** et **POINTSPLUS WEIGHT WATCHERS** sont des marques de commerce de Weight Watchers International, Inc. Pour mes amis fidèles au régime Weight Watchers, j'ai indiqué la valeur de chaque recette en PointsPlus en l'arrondissant au nombre entier le plus proche.

Je suis fière de vous offrir des portions de grosseur satisfaisante pour chacune des recettes. Il n'y a rien de plus décevant que d'être séduit par l'information nutritionnelle d'un plat pour finir par se rendre compte qu'il faut se limiter à une ou deux bouchées seulement. Par exemple, quand une recette inclut 4 poitrines (blanc) de poulet et qu'elle donne 4 portions, j'assume que chaque personne aura droit à une poitrine (blanc) de poulet et que la sauce sera répartie de façon équitable entre les convives. Comme la sauce peut subir une réduction en cours de cuisson, il n'est pas toujours facile de prévoir la quantité exacte qu'on pourra servir, sans compter qu'il y a parfois un gourmand à table qui se sert plus généreusement que les autres ! Dans le tableau d'information nutritionnelle, lorsqu'il est difficile de savoir à quelle quantité exacte correspond une portion, j'ai simplement indiqué « un quart ou un sixième de la recette ».

En tant que mère de deux garçons très sportifs, je suis consciente que l'appétit et les besoins en calories des membres d'une même famille peuvent varier considérablement. Comme moi, vous devrez peut-être ajuster les portions selon les besoins et les désirs des vôtres, mais n'oubliez pas de modifier l'information nutritionnelle en conséquence. Voici quelques autres renseignements utiles.

GARNITURES : j'ai toujours tenu compte des garnitures comestibles (ex. : oignons verts, sucre glace) dans le tableau d'information nutritionnelle.

INGRÉDIENTS FACULTATIFS ET INGRÉDIENTS AJOUTÉS AU CHOIX : ils ne sont pas inclus dans le tableau d'information nutritionnelle.

Manger est l'un des plus grands plaisirs de la vie. J'ai écrit ce livre afin que vous puissiez savourer vos aliments préférés en y prenant beaucoup de plaisir. Profitez-en au maximum !

DES INGRÉDIENTS EXTRAORDINAIRES

Toutes les recettes de ce livre respectent trois critères fondamentaux : elles sont délicieuses, faciles à préparer et bonnes pour la santé. Comme il n'est pas toujours évident de créer une harmonie parfaite entre ces trois exigences, j'ai passé beaucoup de temps à comparer divers ingrédients de même type avant de choisir les meilleurs. Certains produits font partie des éléments de base de notre garde-manger : pâtes sèches, farines, tomates et haricots en conserve, épices, etc. D'autres sont essentiels pour cuisiner « santé » : bouillon de poulet pauvre en sodium, sauce soja allégée, produits laitiers pauvres en matière grasse, viandes maigres, fruits et légumes frais. Dans les pages suivantes, vous trouverez de l'information intéressante sur l'art de bien choisir ses aliments et d'utiliser les produits de remplacement pour obtenir les meilleurs résultats possible tout en facilitant ses achats. Ce chapitre vous servira de guide, mais vous êtes libre de modifier la sélection d'ingrédients à votre guise, surtout les épices qui doivent évidemment respecter vos goûts. Notez toutefois que la cuisson des pains et autres produits de boulangerie est une science exacte. Il est donc important de suivre les recettes à la lettre, sauf s'il s'agit d'ajouts facultatifs, par exemple les noix.

BABEURRE

Le babeurre donne beaucoup de goût aux recettes et confère une texture plus tendre aux produits de boulangerie et aux pâtisseries. On peut en faire soi-même à la maison en mélangeant 1 c. à soupe de vinaigre ou de jus de citron et 250 ml (1 tasse) de lait pauvre en matière grasse. On laisse reposer pendant 5 minutes. Une autre recette consiste à mélanger 125 g (½ tasse) de yogourt sans gras ou pauvre en matière grasse avec 125 ml (½ tasse) de lait pauvre en matière grasse.

BEURRE ET MARGARINE

Si vous cuisinez avec de la margarine, procurez-vous une marque contenant peu ou pas d'acides gras trans. En général, la margarine molle contenant moins de 65 % de matière grasse ne convient pas aux recettes à cause de sa teneur trop élevée en eau. Le beurre a une saveur incomparable, mais comme il contient 8 g de gras saturés par cuillerée à soupe, je ne l'utilise que s'il donne vraiment meilleur goût à une recette – et toujours en petite quantité. Si vous préférez le beurre à la margarine, vous pouvez bien sûr en utiliser dans toutes les recettes de ce livre.

BŒUF HACHÉ MAIGRE ET DINDE HACHÉE

La dinde et le bœuf hachés permettent de faire de succulents plats santé. Je combine parfois les deux pour obtenir un mélange plus maigre, mais vous pouvez prendre uniquement du bœuf ou que de la dinde si vous n'aimez pas mélanger la viande avec la volaille.

COTTAGE

Ce fromage est idéal pour réduire la quantité de calories et de matière grasse tout en ajoutant de bonnes protéines aux différents plats. Pour le rendre plus crémeux, réduisez-le en crème lisse à l'aide du robot culinaire ou du pied-mélangeur (mixeur-plongeur). Le cottage 2 % ou pauvre en matière grasse donne d'excellents résultats dans les recettes.

ÉDULCORANTS SANS CALORIES EN GRANULÉS

Les édulcorants sans calories à base de sucralose sont particulièrement recommandés pour remplacer le sucre dans les recettes.

Mange donc ce que tu aimes

RECETTES

Pains, muffins et gâteaux

LE SUCRE

Il n'est pas toujours facile de cuisiner – et encore moins de faire des pâtisseries – en employant moins de sucre. En plus d'ajouter beaucoup de saveur aux desserts, le sucre leur donne de la structure, de la texture, du volume et même de la couleur. Même si les édulcorants contenant peu ou pas de calories sucrent adéquatement, ils ne possèdent pas les autres qualités du sucre véritable. On trouve de plus en plus de succédanés dans le commerce. En voici quelques-uns.

SIROP D'AGAVE Aussi appelé *nectar d'agave*, ce produit dont la consistance rappelle celle du miel provient d'une plante d'origine mexicaine. Plus sucré que le sucre, il contient aussi plus de glucides et de calories (1 c. à soupe de sirop d'agave = 15 g de glucides et 60 calories vs 12 g de glucides et 48 calories pour le sucre). Même si ce sirop fait augmenter la glycémie moins rapidement que les autres sucres, on doit quand même l'utiliser avec modération. De plus, son usage est réservé aux recettes permettant l'utilisation d'un édulcorant liquide. Dans les boissons, les vinaigrettes et les sauces, on doit utiliser trois fois moins de sirop d'agave que la quantité d'édulcorant mentionnée dans la recette.

STEVIA Plusieurs marques de stevia sont maintenant offertes dans le commerce, mais elles n'ont pas toutes le même goût ni la même intensité. Procurez-vous toujours un produit sûr de haute qualité. Le stevia convient aux boissons, aux sauces et aux desserts froids ou sans cuisson. Pour la pâtisserie, il donne de meilleurs résultats si on l'utilise conjointement avec du vrai sucre. Toutefois, le résultat final est parfois un peu plus sec que si l'on avait utilisé uniquement du sucralose ou du sucre.

SUCRALOSE Toutes les recettes de ce livre ont été testées avec du sucre granulé ou de l'édulcorant sans calories en granulés à base de sucralose. Je n'ai encore trouvé aucun autre produit aussi sûr, économique et facile à utiliser que ce dernier. Il donne de très bons résultats. Que vous achetiez du sucralose sans calories générique ou une marque populaire d'édulcorant de même type, vous pourrez confectionner des produits de boulangerie et des pâtisseries de qualité.

SUCRE GRANULÉ Plusieurs personnes préfèrent utiliser du sucre granulé dans les recettes. Même si vous employez du vrai sucre, mes recettes à faible teneur en matière grasse seront meilleures pour votre santé que des recettes semblables trouvées dans d'autres livres de cuisine ou servies au restaurant. Si vous mettez du sucre granulé dans les produits de boulangerie et les pâtisseries, il n'est pas nécessaire d'ajouter ¼ de c. à thé (à café) de levure chimique (poudre à pâte) par tasse (160 g) de farine. Vous devez toutefois prolonger la cuisson de 7 à 10 minutes pour les gâteaux, de 5 minutes pour les muffins et de 3 à 5 minutes pour les biscuits. Pour savoir si la cuisson est terminée, faites le test à l'aide d'une brochette ou d'un cure-dent comme indiqué dans la recette.

TRUC : *Dans la plupart des recettes, si vous employez du sucre au lieu de l'édulcorant sans calories, vous pouvez réduire la quantité du quart. La préparation sera un peu moins sucrée, mais son goût sera exquis.*

Muffins au citron et aux bleuets

Il n'est pas toujours facile de trouver une bonne recette de muffins contenant peu de sucre et de matière grasse. La réduction de gras risque de les rendre trop secs tandis que la diminution de la quantité de sucre peut altérer leur texture et les empêcher de gonfler ou de dorer de façon adéquate. Voici une recette santé qui ne vous décevra pas.

180 g (¾ de tasse) de yogourt au citron allégé

125 ml (½ tasse) de lait pauvre en matière grasse

3 c. à soupe de margarine ou de beurre, fondu

1 gros œuf

1 c. à thé (à café) d'extrait de vanille

1 c. à thé (à café) de zeste de citron, râpé

½ c. à thé (à café) d'extrait de citron

320 g (2 tasses) de farine tout usage (type 55)

12 g (½ tasse) d'édulcorant sans calories en granulés

2 c. à soupe + 2 c. à thé (à café) de sucre

1 c. à soupe de levure chimique (poudre à pâte)

½ c. à thé (à café) de bicarbonate de soude

160 g (1 tasse) de bleuets (myrtilles) frais

1. Préchauffer le four à 190 °C/375 °F/gaz 5. Vaporiser légèrement d'enduit végétal un moule à muffins de 12 cavités (ou le tapisser de chemises de papier ou d'aluminium).

2. Dans un bol moyen, à l'aide d'un fouet, mélanger les sept premiers ingrédients (du yogourt jusqu'à l'extrait de citron) et réserver.

3. Dans un grand bol, mélanger les cinq ingrédients suivants (de la farine jusqu'au bicarbonate de soude) en ne mettant que 2 c. à soupe de sucre. Ajouter les bleuets et remuer légèrement pour les fariner uniformément.

4. Remplir les moules aux deux tiers et saupoudrer les muffins avec le reste du sucre.

5. Cuire au four de 17 à 20 minutes ou jusqu'à ce qu'un cure-dent inséré au centre d'un muffin en ressorte propre. Laisser refroidir pendant 5 minutes avant de démouler sur une grille.

Conseil: *Ces muffins sont meilleurs préparés avec des bleuets frais et dégustés le jour même de leur préparation. Si vous utilisez des bleuets surgelés, ne les faites pas décongeler avant de les incorporer aux autres ingrédients. Pour congeler les muffins, attendez qu'ils soient complètement refroidis avant de les envelopper de pellicule de plastique. Pour les servir, il vous suffira de les faire décongeler, de les déballer et de les réchauffer au micro-ondes de 30 à 45 secondes.*

INFORMATION NUTRITIONNELLE PAR PORTION (1 muffin): Calories: 130 | Glucides: 23 g (Sucres: 4 g) | Gras total: 3 g (1 g sat.) | Protéines: 4 g | Fibres: 1 g | Cholestérol: 20 mg | Sodium: 150 mg | Équivalences alimentaires: 1 ½ Féculent | Choix de glucides: 1 ½ | Valeur PointsPlus Weight Watchers: 4

Muffins à la citrouille et au fromage à la crème

Ces muffins renferment 70 % moins de calories et une fraction de la quantité de sucre utilisée dans les muffins à la citrouille vendus dans les grandes chaînes de restauration.

12 PORTIONS

90 g (¼ de tasse + 2 c. à soupe) de fromage à la crème allégé

2 c. à thé (à café) de sucre glace

4 c. à thé (à café) + 18 g (¾ de tasse) d'édulcorant sans calories en granulés

280 g (1 ¾ tasse) de farine tout usage (type 55)

1 ½ c. à thé (à café) de levure chimique (poudre à pâte)

½ c. à thé (à café) de bicarbonate de soude

2 c. à thé (à café) de cannelle moulue

1 c. à thé (à café) de gingembre moulu

¼ de c. à thé (à café) de clou de girofle moulu

1 gros œuf

2 gros blancs d'œufs

180 g (¾ de tasse) de citrouille (potiron) en conserve

80 g (⅓ de tasse) de compote de pommes non sucrée

3 c. à soupe d'huile de canola (colza)

2 c. à soupe de mélasse

1. Préchauffer le four à 190 °C/375 °F/gaz 5. Tapisser un moule à muffins de 12 cavités de chemises de papier ou d'aluminium.

2. Dans un petit bol, battre vigoureusement le fromage, le sucre glace et 4 c. à thé (à café) d'édulcorant. Réserver. Dans un bol moyen, à l'aide d'un fouet, mélanger les six ingrédients suivants (de la farine jusqu'au clou de girofle).

3. Dans un autre bol moyen, à l'aide du batteur électrique (mixeur), battre 18 g (¾ de tasse) d'édulcorant, l'œuf et les blancs d'œufs de 3 à 4 minutes ou jusqu'à ce que la préparation double de volume. À basse vitesse, incorporer la citrouille, la compote de pommes, l'huile et la mélasse. À l'aide d'une grande cuillère, incorporer la préparation de farine en évitant de trop mélanger inutilement.

4. Verser 3 c. à soupe de la préparation dans chacun des moules. À l'aide d'une petite cuillère humide, faire un creux dans les muffins et garnir chacun avec 1 c. à thé (à café) comble de la préparation au fromage. Couvrir chaque muffin avec 1 c. à soupe de la préparation et l'étaler pour couvrir presque entièrement le fromage.

5. Cuire au four de 18 à 20 minutes ou jusqu'à ce qu'un cure-dent inséré au centre d'un muffin en ressorte propre. Laisser refroidir pendant 5 minutes avant de démouler sur une grille. Laisser refroidir complètement.

INFORMATION NUTRITIONNELLE PAR PORTION (1 muffin) : Calories : 140 | Glucides : 21 g (Sucres : 4 g) | Gras total : 4,5 g (1,5 g sat.) | Protéines : 4 g | Fibres : 1 g | Cholestérol : 20 mg | Sodium : 150 mg | Équivalences alimentaires : 1 ½ Féculent, ½ Gras | Choix de glucides : 1 ½ | Valeur PointsPlus Weight Watchers : 4

Muffins à l'orange

Pour varier, n'hésitez pas à remplacer la marmelade d'oranges par de la confiture d'abricots,
de framboises ou de fraises renfermant peu de sucre.

2 gros œufs

4 c. à soupe de margarine ou de beurre, fondu

125 ml (½ tasse) de lait pauvre en matière grasse

225 g (¾ de tasse) de marmelade d'oranges pauvre en sucre

1 c. à soupe de zeste d'orange, râpé

280 g (1 ¾ tasse) de farine tout usage (type 55)

3 c. à soupe de sucre

2 c. à thé (à café) de levure chimique (poudre à pâte)

½ c. à thé (à café) de bicarbonate de soude

12 c. à thé (à café) de marmelade d'oranges pauvre en sucre

Confiture au choix

1. Préchauffer le four à 190 °C/375 °F/gaz 5. Vaporiser légèrement d'enduit végétal un moule à muffins de 12 cavités (ou tapisser de chemises de papier ou d'aluminium).

2. Dans un bol moyen, à l'aide d'un fouet, mélanger les cinq premiers ingrédients (des œufs jusqu'au zeste) et réserver.

3. Dans un grand bol, mélanger la farine, le sucre, la levure chimique et le bicarbonate de soude. Creuser une fontaine au centre et ajouter la préparation de marmelade. Mélanger à l'aide d'une grande cuillère, sans plus.

4. Remplir les moules aux deux tiers avec la préparation.

5. Cuire au four pendant 15 minutes ou jusqu'à ce qu'un cure-dent inséré au centre d'un muffin en ressorte propre. Laisser refroidir pendant 5 minutes avant de démouler sur une grille. Servir chaque muffin avec 1 c. à thé (à café) de confiture.

INFORMATION NUTRITIONNELLE PAR PORTION (1 muffin) : Calories : 155 | Glucides : 25 g (Sucres : 11 g) | Gras total : 4 g (1 g sat.) | Protéines : 4 g | Fibres : 1 g | Cholestérol : 35 mg | Sodium : 140 mg | Équivalences alimentaires : 1 ½ Féculent, ½ Gras | Choix de glucides : 2 | Valeur PointsPlus Weight Watchers : 4

Biscuits au cheddar et au babeurre

Le cheddar fort, le beurre et la poudre d'ail suffisent à donner beaucoup de caractère à ces biscuits vraiment uniques.

320 g (2 tasses) de mélange à pâte tout usage pauvre en matière grasse

½ c. à thé (à café) d'assaisonnement pour poissons et fruits de mer

80 g (⅔ de tasse) de cheddar fort pauvre en matière grasse, râpé

180 ml (¾ de tasse) de babeurre pauvre en matière grasse

2 c. à soupe de beurre, fondu

½ c. à thé (à café) de poudre d'ail

1. Préchauffer le four à 220 °C/425 °F/gaz 7. Vaporiser légèrement une grande plaque à pâtisserie d'enduit végétal.

2. Dans un grand bol, mélanger le mélange à pâte et l'assaisonnement pour poissons et fruits de mer. Incorporer le cheddar à l'aide d'une spatule ou d'une grande cuillère en évitant de trop mélanger inutilement. Verser le babeurre et mélanger.

3. Transvider le contenu du bol sur un plan de travail et, au besoin, mélanger légèrement avec les mains jusqu'à ce que tous les ingrédients soient parfaitement amalgamés. Diviser la pâte en 12 morceaux de même grosseur et ranger les biscuits sur la plaque en laissant 5 cm (2 po) entre eux. Cuire au four de 13 à 15 minutes ou jusqu'à ce qu'ils soient dorés.

4. Retirer la plaque du four. Dans un petit bol, mélanger le beurre et la poudre d'ail. Badigeonner le dessus des biscuits et servir aussitôt.

INFORMATION NUTRITIONNELLE PAR PORTION (1 biscuit) : Calories : 110 | Glucides : 15 g (Sucres : 2 g) | Gras total : 3,5 g (1 g sat.) | Protéines : 4 g | Fibres : 0 g | Cholestérol : 0 mg | Sodium : 330 mg | Équivalences alimentaires : 1 Féculent | Choix de glucides : 1 | Valeur PointsPlus Weight Watchers : 3

Muffins au fromage et au romarin

Ces muffins rappellent la sublime focaccia chaude au parmesan et au romarin que l'on nous sert parfois dans les restaurants italiens. Ils feront vite partie des muffins salés préférés de votre famille !

120 g (¾ de tasse) d'oignons, hachés

1 gros œuf

375 ml (1 ½ tasse) de babeurre pauvre en matière grasse

3 c. à soupe d'huile d'olive

320 g (2 tasses) de farine tout usage (type 55)

1 c. à soupe de sucre

1 c. à soupe de levure chimique (poudre à pâte)

1 c. à thé (à café) de romarin frais, haché finement

60 g (½ tasse + 1 c. à soupe) de parmesan, râpé

½ c. à thé (à café) de bicarbonate de soude

½ c. à thé (à café) de poudre d'ail

1. Préchauffer le four à 200 °C/400 °F/gaz 6. Vaporiser légèrement d'enduit végétal un moule à muffins de 12 cavités.

2. Mettre les oignons dans un bol convenant au micro-ondes. Vaporiser légèrement les oignons d'enduit végétal et cuire à puissance maximale pendant 2 minutes ou jusqu'à ce qu'ils soient tendres et translucides. Dans un bol moyen, à l'aide d'un fouet, battre l'œuf, le babeurre et l'huile. Ajouter les oignons et réserver.

3. Dans un grand bol, mélanger le reste des ingrédients en ne mettant que 50 g (½ tasse) de parmesan. Creuser une fontaine au centre et verser la préparation d'œuf. Mélanger à l'aide d'une grande cuillère jusqu'à ce que les ingrédients secs soient humectés, sans plus.

4. Remplir les moules aux deux tiers. Saupoudrer chaque muffin avec ¼ de c. à thé (à café) du parmesan restant.

5. Cuire au four de 18 à 20 minutes ou jusqu'à ce que les muffins soient légèrement dorés. Laisser refroidir pendant 5 minutes avant de démouler. Servir chaud.

Conseil : *Ces muffins salés seront un ajout fort apprécié dans votre corbeille à pain. Essayez-les avec la bisque de poivrons rouges (page 81) ou la ratatouille vite faite (page 122).*

INFORMATION NUTRITIONNELLE PAR PORTION (1 muffin) : Calories : 150 | Glucides : 20 g (Sucres : 4 g) | Gras total : 6 g (1,5 g sat.) | Protéines : 6 g | Fibres : 1 g | Cholestérol : 20 mg | Sodium : 240 mg | Équivalences alimentaires : 1 Féculent, 1 Gras | Choix de glucides : 1 | Valeur PointsPlus Weight Watchers : 4

Quatre-quarts marbré

Vous aimerez ce quatre-quarts à l'heure du petit-déjeuner ou comme dessert. N'employez pas un moule plus petit que ce qui est indiqué dans la recette, car la préparation pourrait déborder dans le four.

12 PORTIONS

6 c. à soupe de margarine ou de beurre

160 g (⅔ de tasse) de sucre

16 g (⅔ de tasse) d'édulcorant sans calories en granulés

2 gros œufs

2 gros blancs d'œufs

1 ½ c. à thé (à café) d'extrait de vanille

360 g (2 ¼ tasses) de farine à gâteau

¾ de c. à thé (à café) de bicarbonate de soude

1 pincée de sel

180 g (¾ de tasse) de crème sure ou aigre allégée

3 c. à soupe de poudre de cacao (solubilisée de préférence)

2 c. à soupe de lait pauvre en matière grasse

1. Préchauffer le four à 160 °C/325 °F/gaz 3. Vaporiser légèrement d'enduit végétal un moule à pain de 23 cm x 13 cm (9 po x 5 po).

2. Dans un grand bol, à l'aide du batteur électrique (mixeur), mélanger la margarine et le sucre environ 4 minutes ou jusqu'à consistance crémeuse et très légère. Ajouter l'édulcorant et battre de nouveau. Ajouter les œufs et les blancs d'œufs un à un en battant après chaque addition. Incorporer la vanille.

3. Tamiser la farine avec le bicarbonate de soude et le sel. À l'aide d'une spatule, incorporer la moitié de la préparation de farine dans la préparation de margarine, puis ajouter la moitié de la crème sure. Ajouter le reste de la farine et de la crème sure en remuant après chaque addition.

4. Verser 180 g (1 tasse) de la pâte dans un petit bol. Tamiser le cacao dans le même bol, verser le lait et remuer un peu. Verser environ les deux tiers du reste de la pâte dans le moule. À l'aide d'une grosse cuillère, couvrir la pâte avec de grosses cuillerées de la pâte au chocolat jusqu'à épuisement du mélange. Verser le reste de la pâte qui ne contient pas de chocolat. À l'aide d'un couteau, faire des tourbillons pour créer des marbrures.

5. Cuire au four de 55 à 65 minutes ou jusqu'à ce qu'un cure-dent inséré au centre du quatre-quarts en ressorte propre. Laisser refroidir dans le moule placé sur une grille pendant 10 minutes avant de démouler.

Conseil : *La farine à gâteau contient moins de gluten que la farine ordinaire et donne une texture plus tendre au quatre-quarts. On peut la remplacer par 270 g (1 ⅔ tasse) de farine tout usage (type 55) et 40 g (¼ de tasse) de fécule de maïs.*

INFORMATION NUTRITIONNELLE PAR PORTION (1 tranche) : Calories : 190 | Glucides : 29 g (Sucres : 13 g) | Gras total : 7 g (2,5 g sat.) | Protéines : 4 g | Fibres : 1 g | Cholestérol : 40 mg | Sodium : 180 mg | Équivalences alimentaires : 2 Féculents, 1 Gras | Choix de glucides : 2 | Valeur PointsPlus eight Watchers : 5

Pains aux bananes, au son et aux pacanes

J'aime faire deux petits pains au lieu d'un gros, ce qui me permet d'en congeler un. Si vous préférez faire un seul pain, versez la préparation dans un moule à pain de 23 cm x 13 cm (9 po x 5 po) et mettez-le au four préchauffé à 180 °C/350 °F/gaz 4 de 50 à 60 minutes. Un pur délice rempli de bonnes fibres alimentaires !

12 PORTIONS

250 g (1 tasse) de bananes, écrasées (environ 2 bananes moyennes)

60 g (1 tasse) de céréales de son filamentées non sucrées

60 ml (¼ de tasse) de babeurre pauvre en matière grasse

1 gros œuf

2 c. à soupe d'huile de canola (colza)

1 c. à soupe de mélasse

1 c. à thé (à café) d'extrait de vanille

80 g (½ tasse) de farine blanche de blé entier

80 g (½ tasse) de farine tout usage (type 55)

6 g (¼ de tasse) d'édulcorant sans calories en granulés

2 c. à thé (à café) de levure chimique (poudre à pâte)

1 c. à thé (à café) de bicarbonate de soude

40 g (⅓ de tasse) de pacanes, hachées

1. Préchauffer le four à 190 °C/375 °F/gaz 5. Vaporiser légèrement deux petits moules à pain d'enduit végétal. (Ou préchauffer le four à 180 °C/350 °F/gaz 4 si on n'utilise qu'un seul moule.)

2. Dans un bol moyen, mélanger les sept premiers ingrédients (des bananes jusqu'à la vanille). Réserver pendant au moins 5 minutes pour laisser ramollir les céréales.

3. Dans un grand bol, mélanger les farines, l'édulcorant, la levure chimique, le bicarbonate de soude et les pacanes. Creuser une fontaine au centre et ajouter la préparation de bananes. Mélanger à l'aide d'une grande cuillère, sans plus.

4. Répartir la préparation dans les moules et cuire au four pendant 30 minutes ou jusqu'à ce qu'un cure-dent inséré au centre des pains en ressorte propre.

5. Laisser refroidir à température ambiante sans démouler pendant 10 minutes. Démouler les pains et laisser refroidir complètement avant de les couper en tranches.

INFORMATION NUTRITIONNELLE PAR PORTION (1 tranche) : Calories : 120 | Glucides : 19 g (Sucres : 12 g) | Gras total : 4,5 g (1 g sat.) | Protéines : 3,5 g | Fibres : 4 g | Cholestérol : 0 mg | Sodium : 210 mg | Équivalences alimentaires : 1 Féculent, 1 Gras | Choix de glucides : 1 | Valeur PointsPlus Weight Watchers : 3

Pain aux courgettes et au cacao

Les courgettes ne donnent aucun goût à ce pain, mais elles préservent magnifiquement sa tendreté. Le mélange de zeste d'orange et de cacao est absolument sublime. Autre bonne nouvelle, cette recette contient le tiers du sucre et la moitié du gras que la plupart des pains aux courgettes du commerce.

12 PORTIONS

60 ml (¼ de tasse) d'huile de canola (colza)

60 g (¼ de tasse) de cassonade ou de sucre roux

16 g (⅔ de tasse) d'édulcorant sans calories en granulés

1 gros œuf

1 gros blanc d'œuf

120 g (½ tasse) de compote de pommes non sucrée

1 c. à thé (à café) d'extrait de vanille

210 g (1 ½ tasse) de courgettes, râpées

240 g (1 ½ tasse) de farine tout usage (type 55)

2 c. à thé (à café) de zeste d'orange, râpé

50 g (½ tasse) de poudre de cacao (solubilisée de préférence)

1 c. à thé (à café) de levure chimique (poudre à pâte)

¾ de c. à thé (à café) de bicarbonate de soude

1. Préchauffer le four à 180 °C/350 °F/gaz 4. Vaporiser légèrement un moule à pain de 23 cm x 13 cm (9 po x 5 po) d'enduit végétal.

2. Dans un bol moyen, à l'aide d'un fouet, mélanger l'huile, la cassonade, l'édulcorant, l'œuf, le blanc d'œuf, la compote de pommes et la vanille. À l'aide d'une grande cuillère, incorporer les courgettes et bien mélanger.

3. Dans un bol moyen, mélanger le reste des ingrédients et creuser une fontaine au centre. Verser la préparation de courgettes et mélanger jusqu'à ce que les ingrédients secs soient humectés, sans plus. Verser dans le moule et lisser le dessus.

4. Cuire au four de 50 à 55 minutes ou jusqu'à ce qu'un cure-dent inséré au centre du pain en ressorte propre. Placer le moule sur une grille et laisser refroidir de 10 à 15 minutes avant de démouler.

Conseil : *Pour faire deux pains au lieu d'un seul, remplissez les moules aux deux tiers et mettez-les au four de 30 à 35 minutes selon leur grosseur.*

INFORMATION NUTRITIONNELLE PAR PORTION (1 tranche) : Calories : 120 | Glucides : 19 g (Sucres : 6 g) | Gras total : 3,5 g (1 g sat.) | Protéines : 3 g | Fibres : 1 g | Cholestérol : 20 mg | Sodium : 140 mg | Équivalences alimentaires : 1 Féculent | Choix de glucides : 1 | Valeur PointsPlus Weight Watchers : 3

Gâteau danois aux petits fruits

Ce bon gâteau est joliment saupoudré de cassonade, de cannelle et de noix de Grenoble. L'intérieur est moelleux et regorge de petits fruits frais. Les bleuets et les myrtilles offrent l'avantage de ne pas perdre leur forme pendant la cuisson, mais on peut aussi employer d'autres petits fruits. La recette originale de gâteau danois demande 540 g (2 ¼ tasses) de sucre. J'ai coupé cette quantité de 85 % et j'ai aussi réduit le gras de moitié.

12 PORTIONS

320 g (2 tasses) de farine tout usage (type 55)

½ c. à thé (à café) de bicarbonate de soude

2 c. à thé (à café) de levure chimique (poudre à pâte)

80 g (⅓ de tasse) de margarine ou de beurre froid

320 g (2 tasses) de petits fruits frais

2 gros œufs

2 gros blancs d'œufs

36 g (1 ½ tasse) d'édulcorant sans calories en granulés

5 c. à soupe de cassonade ou de sucre roux

1 ½ c. à thé (à café) d'extrait de vanille

250 g (1 tasse) de crème sure ou aigre allégée ou de yogourt nature grec pauvre en matière grasse

40 g (⅓ de tasse) de noix de Grenoble, hachées finement

1 c. à thé (à café) de cannelle moulue

2 c. à thé (à café) de sucre glace

1. Préchauffer le four à 180 °C/350 °F/gaz 4. Vaporiser légèrement d'enduit végétal un moule à cheminée ou à gâteau des anges de 23 cm x 13 cm (9 po x 5 po).

2. Dans un grand bol, à l'aide d'un fouet, mélanger la farine, le bicarbonate de soude et la levure chimique. Incorporer la margarine à l'aide d'un coupe-pâte, puis ajouter les petits fruits. Mélanger délicatement et réserver.

3. Dans un bol moyen, à l'aide du batteur électrique (mixeur), battre les œufs, les blancs d'œufs, 30 g (1 ¼ tasse) d'édulcorant et 3 c. à soupe de cassonade jusqu'à ce que les œufs doublent de volume et que la préparation soit légère et mousseuse. Incorporer la vanille et la crème sure. Creuser une fontaine au centre et ajouter la préparation de farine. Mélanger à l'aide d'une grande cuillère pour humecter les ingrédients secs, sans plus. Verser la préparation dans le moule.

4. Dans un petit bol, mélanger les noix, la cannelle ainsi que le reste de l'édulcorant et de la cassonade. Étaler uniformément sur le gâteau. Cuire au four pendant 45 minutes ou jusqu'à ce qu'un cure-dent inséré au centre du gâteau en ressorte propre. Laisser refroidir sur une grille, puis saupoudrer de sucre glace.

INFORMATION NUTRITIONNELLE PAR PORTION (1 tranche) : Calories : 210 | Glucides : 28 g (Sucres : 7 g) | Gras total : 8 g (3 g sat.) | Protéines : 5 g | Fibres : 1 g | Cholestérol : 25 mg | Sodium : 140 mg | Équivalences alimentaires : 2 Féculents, 1 Gras | Choix de glucides : 2 | Valeur PointsPlus Weight Watchers : 5

Gâteau aux grains de chocolat vite fait

Il suffit d'un bol et de quelques tours de cuillère pour obtenir un bon gâteau maison en 20 minutes ! Vous trouverez de l'extrait de noix de coco au supermarché, juste à côté de l'extrait de vanille.

180 g (1 ¾ tasse) de mélange à pâte tout usage pauvre en matière grasse

8 g (⅓ de tasse) d'édulcorant sans calories en granulés

60 g (⅓ de tasse) de grains de chocolat miniatures

160 ml (⅔ de tasse) de lait pauvre en matière grasse

1 gros œuf, battu légèrement

1 c. à soupe d'huile de canola (colza)

½ c. à thé (à café) d'extrait de vanille

¼ de c. à thé (à café) d'extrait de noix de coco

30 g (¼ de tasse) d'amandes effilées ou de pacanes hachées (facultatif)

1. Préchauffer le four à 180 °C/350 °F/gaz 4. Vaporiser légèrement un moule 20 cm x 20 cm (8 po x 8 po) d'enduit végétal.

2. Dans un grand bol, bien mélanger tous les ingrédients, sauf les amandes.

3. Verser dans le moule et couvrir d'amandes. Cuire au four de 12 à 15 minutes ou jusqu'à ce qu'un cure-dent inséré au centre en ressorte propre. Laisser refroidir pendant 5 minutes avant de démouler sur une grille.

Conseil : *Si vous mettez des amandes ou des pacanes sur le gâteau, ajoutez 20 calories par portion.*

INFORMATION NUTRITIONNELLE PAR PORTION (1 tranche) : Calories : 110 | Glucides : 17 g (Sucres : 4 g) | Gras total : 4 g (1,5 g sat.) | Protéines : 2 g | Fibres : 0 g | Cholestérol : 20 mg | Sodium : 220 mg | Équivalences alimentaires : 1 Féculent | Choix de glucides : 1 | Valeur PointsPlus Weight Watchers : 3

Petits-déjeuners et brunchs

Gruau aux carottes et aux pacanes

Oui, des carottes pour le petit-déjeuner ! Une seule portion renferme le double de la quantité de vitamine A recommandée quotidiennement ainsi que de bonnes fibres. Ce gruau a un goût étonnant de gâteau aux carottes.

1 PORTION

1 carotte moyenne, râpée finement

375 ml (1 ½ tasse) d'eau

1 pincée de sel

50 g (½ tasse) de flocons d'avoine

2 c. à thé (à café) de cassonade ou de sucre roux

½ c. à thé (à café) de cannelle moulue

1 pincée de gingembre moulu

1 pincée de muscade moulue

4 c. à thé (à café) d'édulcorant sans calories en granulés

½ c. à thé (à café) d'extrait de vanille

1 c. à soupe de pacanes, hachées

2 c. à thé (à café) de crème 11,5 % ou fleurette

1. Dans une petite casserole, mélanger la carotte, l'eau et le sel. Porter à ébullition. Baisser le feu et laisser mijoter pendant 2 minutes. Ajouter l'avoine et laisser mijoter 5 minutes de plus. Incorporer la moitié de la cassonade et les épices, puis laisser mijoter pendant 2 minutes.

2. Retirer du feu, puis ajouter l'édulcorant et la vanille. Laisser épaissir de 1 à 2 minutes.

3. Ajouter les pacanes, la crème et le reste de la cassonade.

Conseil : *L'heureux mélange de carotte riche en fibres, de pacanes et d'eau donne un bol de flocons d'avoine qui parvient à satisfaire même les plus gros appétits.*

INFORMATION NUTRITIONNELLE PAR PORTION : Calories : 255 | Glucides : 38 g (Sucres : 7 g) | Gras total : 7 g (1 g sat.) | Protéines : 8 g | Fibres : 6 g | Cholestérol : 0 mg | Sodium : 260 mg | Équivalences alimentaires : 2 Féculents, 1 Gras | Choix de glucides : 2 | Valeur PointsPlus Weight Watchers : 6

Barres d'avoine aux pruneaux

Il ne vous faudra qu'une vingtaine de minutes pour faire ces barres nutritives que vous apprécierez tout particulièrement au petit-déjeuner ou comme goûter. Elles se conserveront pendant 5 jours dans un contenant hermétique gardé au réfrigérateur. Si vous les enveloppez séparément, elles pourront être congelées pendant au moins 2 semaines. Pour les faire décongeler, mettez-les au micro-ondes pendant 30 secondes à puissance maximale.

12 PORTIONS

200 g (2 tasses) de flocons d'avoine à cuisson rapide

160 g (1 tasse) de farine blanche de blé entier

18 g (¾ de tasse) d'édulcorant sans calories en granulés

3 c. à soupe de cassonade ou de sucre roux

1 c. à thé (à café) de cannelle moulue

¾ de c. à thé (à café) de bicarbonate de soude

½ c. à thé (à café) de levure chimique (poudre à pâte)

25 g (¼ de tasse) de canneberges (airelles) séchées, hachées finement

30 g (¼ de tasse) de noix de Grenoble, hachées

70 g (¼ de tasse) de purée de pruneaux maison ou pour bébés

3 c. à soupe d'huile de canola (colza)

3 blancs d'œufs

1 c. à soupe de mélasse

1 ½ c. à thé (à café) d'extrait de vanille

1. Préchauffer le four à 180 °C/350 °F/gaz 4. Vaporiser légèrement un moule de 23 cm x 23 cm (9 po x 9 po) d'enduit végétal.

2. Dans un très grand bol, mélanger les neuf premiers ingrédients (de l'avoine jusqu'aux noix) et réserver.

3. Dans un bol moyen, à l'aide d'un fouet, mélanger le reste des ingrédients. Verser sur les ingrédients secs et bien mélanger à l'aide d'une cuillère. (La préparation sera collante.)

4. Étaler la préparation dans le moule et cuire au four pendant 12 minutes (éviter de cuire trop longtemps). Placer le moule sur une grille et laisser refroidir avant de découper en 12 barres de même grosseur.

INFORMATION NUTRITIONNELLE PAR PORTION (1 barre) : Calories : 130 | Glucides : 18 g (Sucres : 5 g) | Gras total : 5 g (0 g sat.) | Protéines : 5 g | Fibres : 3 g | Cholestérol : 0 mg | Sodium : 90 mg | Équivalences alimentaires : 1 Féculent | Choix de glucides : 1 | Valeur PointsPlus Weight Watchers : 3

Minisoufflé vite fait

Vous serez surpris si vous n'avez encore jamais fait cuire un œuf dans une tasse. Ce minisoufflé se prépare en moins de 2 minutes sans qu'on doive salir une poêle! Vous pouvez remplacer l'œuf par du succédané d'œuf liquide, mais le goût sera moins intéressant. Usez de votre imagination pour créer des variantes originales à partir de cette recette de base.

1 gros œuf

1 gros blanc d'œuf

2 c. à thé (à café) de lait pauvre en matière grasse ou d'eau

1 pincée de sel et de poivre du moulin

1. Vaporiser d'enduit végétal une grande tasse convenant au micro-ondes. Ajouter tous les ingrédients et fouetter à l'aide d'une fourchette jusqu'à consistance légère et mousseuse.

2. Cuire au micro-ondes, à puissance maximale, pendant 1 minute. Remuer légèrement et cuire environ 45 secondes ou jusqu'à ce que les œufs soient pris (ils gonfleront beaucoup pendant la cuisson, mais s'affaisseront par la suite).

Minisoufflé au cheddar: après avoir cuit la préparation au micro-ondes pendant 1 minute, ajouter 2 c. à soupe de jambon maigre haché (environ 2 tranches fines) et 1 c. à soupe de cheddar râpé pauvre en matière grasse. Terminer la cuisson comme indiqué à l'étape 2 et saler et poivrer au goût. (Information nutritionnelle: ajouter 45 calories, 5 g de protéines et 2 g de gras.)

Minisoufflé à la salsa: remplacer le lait ou l'eau par de la salsa. Après avoir cuit la préparation au micro-ondes pendant 1 minute, ajouter 1 c. à soupe de mélange de fromages râpés à la mexicaine pauvres en matière grasse. Terminer la cuisson comme indiqué à l'étape 2. Garnir avec 2 c. à thé (à café) de crème sure ou aigre allégée. (Information nutritionnelle: ajouter 35 calories, 3 g de protéines et 2 g de gras.)

INFORMATION NUTRITIONNELLE PAR PORTION (1 œuf nature): Calories: 100 | Glucides: 1 g (Sucres: 1 g) | Gras total: 5 g (1,5 g sat.) | Protéines: 10 g | Fibres: 0 g | Cholestérol: 215 mg | Sodium: 125 mg | Équivalences alimentaires: 1 Viande mi-maigre, 1 Viande maigre | Choix de glucides: 0 | Valeur PointsPlus Weight Watchers: 2

Œufs brouillés en pelures de pommes de terre

Des œufs brouillés servis dans des pelures de pommes de terre et garnis de bacon, de fromage, d'oignons verts et de crème. Les pommes de terre et les œufs n'auront jamais fait si bon ménage.

4 PORTIONS

2 pommes de terre pour cuisson au four de 375 g (12 oz) chacune, bien lavées

4 gros œufs, battus

4 gros blancs d'œufs, battus

3 c. à soupe + 4 c. à thé (à café) de crème sure ou aigre allégée

1 pincée de sel

1 pincée de poivre du moulin

2 c. à soupe d'oignons verts (partie blanche), hachés

4 c. à soupe de cheddar pauvre en matière grasse, râpé

4 c. à thé (à café) de bacon, émietté

4 c. à thé (à café) d'oignons verts (partie verte), hachés

1. Piquer les pommes de terre à l'aide d'une fourchette avant de les cuire au micro-ondes, à puissance maximale, pendant 10 minutes. Entre-temps, préchauffer le four à 220 °C/425 °F/gaz 7. Couper les pommes de terre sur la longueur et retirer la pulpe en laissant une bordure de 5 mm (¼ de po) tout autour. Ranger les pelures sur une plaque à pâtisserie et les vaporiser légèrement d'enduit végétal. Cuire au four de 10 à 12 minutes ou jusqu'à ce qu'elles soient croustillantes. (Réserver la pulpe pour un autre usage.)

2. Pendant que les pelures sont au four, battre les œufs, les blancs d'œufs et 3 c. à soupe de crème sure à l'aide d'un fouet. Vaporiser une poêle moyenne d'enduit végétal et cuire les œufs à feu moyen de 2 à 3 minutes. Ajouter la partie blanche des oignons verts et cuire de 1 à 2 minutes. (Les œufs doivent être crémeux et non pas secs.) Saler et poivrer au goût.

3. Farcir les pelures de pommes de terre avec les œufs. Garnir chacune avec 1 c. à soupe de cheddar, 1 c. à thé (à café) de crème sure ou aigre, 1 c. à thé (à café) de bacon et la partie verte des oignons verts. Servir aussitôt.

INFORMATION NUTRITIONNELLE PAR PORTION : Calories : 230 | Glucides : 24 g (Sucres : 3 g) | Gras total : 7 g (3 g sat.) | Protéines : 15 g | Fibres : 2 g | Cholestérol : 220 mg | Sodium : 250 mg | Équivalences alimentaires : 2 Viande mi-maigre, 1 ½ Féculent | Choix de glucides : 1 ½ | Valeur PointsPlus Weight Watchers : 6

Quiche aux épinards et au fromage

Une petite quantité de mayonnaise vient donner une texture dense et extracrémeuse à cette quiche qui marie subtilement les saveurs traditionnelles des quiches lorraine et florentine.

8 PORTIONS

1 fond de tarte de 20 cm (8 po) surgelé

55 g (⅓ de tasse) d'oignon, haché finement

4 gros œufs

80 g (⅓ de tasse) de mayonnaise pauvre en matière grasse

4 gros blancs d'œufs ou 125 ml (½ tasse) de succédané d'œuf liquide

250 ml (1 tasse) de lait pauvre en matière grasse

¼ de c. à thé (à café) de poudre d'ail

¼ de c. à thé (à café) d'arôme de fumée liquide

300 g (1 ¾ tasse) d'épinards, décongelés et bien essorés

120 g (1 tasse) de fromage suisse pauvre en matière grasse, râpé

1. Préchauffer le four à 220 °C/425 °F/gaz 7. À l'aide d'une four-chette, piquer le fond de tarte sur toute la surface avant de le cuire au four pendant 5 minutes. Réserver sur un plan de travail et baisser la température du four à 180 °C/350 °F/gaz 4.

2. Dans un petit bol convenant au micro-ondes, cuire l'oignon à puissance maximale pendant 1 minute et réserver.

3. Dans un grand bol, à l'aide d'un fouet, mélanger vigoureuse-ment 2 œufs entiers avec la mayonnaise. Ajouter le reste des œufs, les blancs d'œufs, le lait, la poudre d'ail et l'arôme de fumée liquide sans cesser de battre. Ajouter les épinards et le fromage et bien mélanger. Verser dans le fond de tarte et cuire au four pendant 45 minutes ou jusqu'à ce que le centre soit ferme au toucher.

Conseil : *Pour faire des quiches miniatures, vaporisez légèrement huit ramequins de 180 ml (6 oz) dans lesquels vous verserez environ 90 g (½ tasse) de la préparation. Rangez-les sur une plaque à pâtis-serie et mettez-les au four préchauffé à 180 °C/350 °F/gaz 4 de 40 à 45 minutes. Chaque ramequin contient 120 calories, 7 g de gras; 5 g de glucides et 3 PointsPlus Weight Watchers.*

INFORMATION NUTRITIONNELLE PAR PORTION : Calories : 220 | Glucides : 13 g (Sucres : 3 g) | Gras total : 13 g (4,5 g sat.) | Protéines : 11 g | Fibres : 1 g | Cholestérol : 135 mg | Sodium : 320 mg | Équivalences alimentaires : 1 ½ Viande mi-maigre, 1 Féculent, 2 Gras | Choix de glucides : 1 | Valeur PointsPlus Weight Watchers : 6

Œufs à la bénédictine

Après plusieurs essais, je suis parvenue à créer une sauce hollandaise santé beaucoup moins riche que la recette classique. Comment un plat aussi diététique peut-il être aussi délicieux ?

2 À 4 PORTIONS

Sauce hollandaise (page 151)*

4 tranches de bacon

4 muffins anglais hypocaloriques

2 gros œufs

2 gros blancs d'œufs

Sel et poivre du moulin

Ciboulette fraîche, ciselée (facultatif)

1. Préparer la sauce hollandaise en suivant les indications de la recette. (Pour la garder au chaud, couvrez le bol et remettez-le au bain-marie en veillant à ce que l'eau chaude ne mijote pas.) Dans une grande poêle, à feu moyen-vif, cuire le bacon et réserver. Ouvrir les muffins anglais en deux.

2. Vaporiser une poêle antiadhésive moyenne d'enduit végétal et chauffer à feu moyen. Dans un bol, à l'aide d'un fouet, mélanger les œufs, les blancs d'œufs, une pincée de sel et du poivre au goût. Faire griller les muffins anglais au grille-pain. Verser les œufs dans la poêle chaude. À l'aide d'une spatule, les ramener du bord vers le centre dès qu'ils commencent à prendre.

3. Dans chacune des assiettes, placer 1 ou 2 moitiés de muffin anglais. Couvrir avec un morceau de bacon. Répartir les œufs et napper chaque portion avec 1 ½ c. à soupe de sauce hollandaise. Garnir de ciboulette au goût.

* Vous n'aurez besoin que d'une demi-recette de sauce hollandaise. Vous pouvez donc doubler la recette d'œufs à la bénédictine ou servir ultérieurement le reste de la sauce hollandaise sur des légumes cuits à la vapeur ou des pommes de terre.

INFORMATION NUTRITIONNELLE PAR PORTION (½ muffin garni) : Calories : 165 | Glucides : 14 g (Sucres : 1 g) | Gras total : 8 g (3,5 g sat.) | Protéines : 12 g | Fibres : 4 g | Cholestérol : 140 mg | Sodium : 420 mg | Équivalences alimentaires : 1 ½ Viande maigre, 1 Féculent, 1 Gras | Choix de glucides : 1 | Valeur PointsPlus Weight Watchers : 3

Gaufres au sirop d'érable crémeux

Le sirop d'érable donne un goût remarquable à ces gaufres légères et croustillantes. Ne vous en privez surtout pas !

Gaufres

120 g (¾ de tasse) de farine blanche de blé entier

3 c. à soupe de fécule de maïs

2 c. à thé (à café) de sucre

½ c. à thé (à café) de levure chimique (poudre à pâte)

¼ de c. à thé (à café) de bicarbonate de soude

¼ de c. à thé (à café) de sel

¼ de c. à thé (à café) de cannelle moulue

250 ml (1 tasse) de babeurre pauvre en matière grasse

2 c. à soupe d'huile de canola (colza)

1 gros œuf, battu

1 c. à thé (à café) d'extrait de vanille

Sirop d'érable crémeux

125 ml (½ tasse) de sirop d'érable

60 ml (¼ de tasse) de lait évaporé (lait concentré non sucré) pauvre en matière grasse

2 c. à thé (à café) de sucre

½ c. à thé (à café) d'extrait de vanille

¼ de c. à thé (à café) de cannelle moulue

2 c. à thé (à café) de beurre ou de margarine

1. **Gaufres :** dans un bol moyen, mélanger les sept premiers ingrédients des gaufres (de la farine jusqu'à la cannelle). Dans un autre bol, à l'aide d'un fouet, mélanger le babeurre, l'huile, l'œuf et la vanille. Verser dans le bol de farine et mélanger sans exagérer. Laisser reposer pendant 15 minutes.

2. **Sirop d'érable crémeux :** dans une petite casserole, mélanger tous les ingrédients, sauf le beurre. Cuire de 2 à 3 minutes, retirer du feu et incorporer le beurre.

3. Préchauffer le gaufrier et vaporiser d'enduit végétal. Verser environ 250 ml (1 tasse) de pâte (ou suivre les indications du fabricant). Fermer le couvercle et cuire jusqu'à ce que la gaufre soit dorée de chaque côté et que la vapeur diminue. Préparer les autres gaufres de la même façon. Servir aussitôt et napper de sirop d'érable crémeux.

INFORMATION NUTRITIONNELLE PAR PORTION (2 gaufres + 3 c. à soupe de sirop d'érable crémeux) : Calories : 260 | Glucides : 32 g (Sucres : 8 g) | Gras total : 10 g (2 g sat.) | Protéines : 8 g | Fibres : 3 g | Cholestérol : 55 mg | Sodium : 410 mg | Équivalences alimentaires : 2 Féculents, 2 Gras, ½ Viande maigre | Choix de glucides : 2 | Valeur PointsPlus Weight Watchers : 7

Crêpes au fromage et aux fraises

Si vous aimez le gâteau au fromage garni de fraises, vous succomberez joyeusement à la tentation grâce à cette recette. Une portion contient 75 % moins de calories et une fraction des glucides contenus dans le gâteau au fromage du commerce.

4 PORTIONS

80 g (⅓ de tasse) de cottage pauvre en matière grasse

80 g (⅓ de tasse) de fromage à la crème allégé

3 ½ c. à soupe d'édulcorant sans calories en granulés

45 g (¾ de tasse) de garniture fouettée allégée, décongelée

160 g (1 tasse) + 40 g (¼ de tasse) de fraises non sucrées, décongelées

1 c. à soupe de confiture de fraises sans sucre

160 g (1 tasse) de farine tout usage (type 55)

¾ de c. à thé (à café) de levure chimique (poudre à pâte)

½ c. à thé (à café) de bicarbonate de soude

1 gros œuf

1 gros blanc d'œuf

250 ml (1 tasse) de babeurre pauvre en matière grasse

¾ de c. à thé (à café) d'extrait de vanille

1. À l'aide du mélangeur ou du robot culinaire, mixer le cottage jusqu'à consistance lisse. Incorporer le fromage à la crème et 1 c. à soupe d'édulcorant et bien mélanger. Verser dans un petit bol, incorporer la garniture fouettée et réserver. Dans un autre petit bol, mélanger 160 g (1 tasse) de fraises, la confiture et 1 c. à soupe d'édulcorant. Réserver.

2. Dans un bol moyen, mélanger la farine, le reste de l'édulcorant, la levure chimique et le bicarbonate de soude. Dans un autre bol, à l'aide d'un fouet, mélanger le reste des ingrédients. Verser sur les ingrédients secs et remuer jusqu'à consistance homogène.

3. Vaporiser une poêle ou une crêpière d'enduit végétal et chauffer à feu moyen. Verser 60 ml (¼ de tasse) de la préparation par crêpe et l'étaler en formant un disque de 8 cm (3 po). Cuire de 3 à 4 minutes d'un côté, puis de 2 à 3 minutes de l'autre. (Empiler les crêpes dans une assiette et couvrir pour garder au chaud pendant que l'on fait cuire les autres crêpes. On en obtiendra 8 en tout.)

4. Montage : mettre une crêpe dans chaque assiette. Couvrir chacune avec 80 ml (⅓ de tasse) de la garniture au fromage, puis couvrir avec une autre crêpe. Garnir avec 40 g (¼ de tasse) de fraises et servir aussitôt.

INFORMATION NUTRITIONNELLE PAR PORTION : Calories : 270 | Glucides : 38 g (Sucres : 10 g) | Gras total : 7 g (3,5 g sat.) | Protéines : 11 g | Fibres : 2 g | Cholestérol : 65 mg | Sodium : 420 mg | Équivalences alimentaires : 2 Féculents, ½ Fruit, 1 Viande maigre, 1 Gras | Choix de glucides : 2 ½ | Valeur PointsPlus Weight Watchers : 7

Crêpes miniatures au cottage

Ces crêpes contiennent une bonne quantité de protéines et de grains entiers. Elles ne font pas augmenter le taux de glycémie et permettent de jouir d'une bonne réserve d'énergie pendant plusieurs heures. Lorsqu'elles sont servies très chaudes, ces crêpes fondent littéralement dans la bouche.

4 PORTIONS

120 g (½ tasse) de cottage pauvre en matière grasse

120 g (½ tasse) de crème sure ou aigre allégée

2 gros œufs

2 gros blancs d'œufs

1 c. à soupe de sucre

¼ de c. à thé (à café) de bicarbonate de soude

¼ de c. à thé (à café) de sel

240 g (1 ½ tasse) de farine blanche de blé entier

1. À l'aide du mélangeur ou du robot culinaire, mixer le fromage et la crème sure jusqu'à consistance lisse. Transvider dans un bol moyen et incorporer les œufs et les blancs d'œufs à l'aide d'un fouet. Ajouter le sucre, le bicarbonate de soude et le sel sans cesser de battre. Incorporer la farine en mélangeant sans exagérer.

2. Vaporiser une poêle ou une crêpière d'enduit végétal et chauffer à feu moyen. Essuyer rapidement le fond avec du papier absorbant. Lorsque la poêle est bien chaude (y jeter une goutte d'eau et s'assurer qu'elle grésille), vaporiser de nouveau le fond d'enduit végétal. Verser 1 c. à soupe de la préparation par crêpe et étaler en formant un disque de 5 cm (2 po). Cuire de 1 à 2 minutes d'un côté, puis de 1 à 2 minutes de l'autre. Cuire les autres crêpes de la même façon et servir aussitôt.

INFORMATION NUTRITIONNELLE PAR PORTION (6 crêpes) : Calories : 270 | Glucides : 33 g (Sucres : 6 g) | Gras total : 6 g (3 g sat.) | Protéines : 16 g | Fibres : 4 g | Cholestérol : 115 mg | Sodium : 420 mg | Équivalences alimentaires : 2 Viande maigre, 2 Féculents | Choix de glucides : 2 | Valeur PointsPlus Weight Watchers : 6

Hors-d'œuvre et petites bouchées

LES ALIMENTS SANS GLUTEN

La nature faisant toujours bien les choses, elle nous offre une multitude d'ingrédients exquis et bons pour la santé qui ne renferment aucun gluten. Fruits, légumes, viandes, poissons, fruits de mer, légumineuses, noix et œufs sont des alliés naturels des personnes intolérantes au gluten. On trouve aussi des huiles et des produits laitiers de qualité qui en sont exempts.

Lorsque vient le temps de préparer des produits de boulangerie et des pâtisseries, nous avons la chance de pouvoir nous procurer de nombreux produits sans gluten qui nous facilitent la tâche.

CUISINER SANS GLUTEN

Voici quelques conseils pour obtenir de bons résultats.

- **Pour les sandwichs,** utilisez du pain sans gluten ou remplacez le pain par des feuilles de laitue. Le pain sans gluten grillé ou rassis peut aussi être transformé en chapelure.

- **Les pâtes sans gluten** conviennent à toutes les recettes de ce livre requérant des pâtes. Vous pouvez aussi utiliser les sauces sur du riz, de la courge spaghetti ou des pommes de terre cuites au four.

- **Pour les crêpes, les gaufres, les pains et les pâtisseries,** achetez des farines ou des préparations sans gluten. Leur goût et leur texture peuvent toutefois varier considérablement d'une marque à l'autre.

- **La plupart des tortillas de maïs** sont sans gluten et on peut les transformer en chips tortillas. Si vous achetez des chips pour faire des nachos ou pour servir avec une sauce à tremper, optez pour des chips tortillas 100 % maïs.

- **La fécule de maïs** est idéale pour lier les sauces. Ses propriétés épaississantes sont deux fois plus élevées que celles de la farine. L'arrow-root est un autre choix judicieux. Pour paner les aliments, je recommande la farine et la fécule de tapioca.

- **La gomme de xanthane** aide à améliorer la texture et la structure du pain et des pâtisseries. Suivez attentivement les indications inscrites sur l'emballage.

- **Pour améliorer le goût de vos plats,** doublez la quantité d'extraits (vanille, noix de coco, etc.), d'épices ou de fines herbes. Ajoutez des ingrédients riches en saveur: zeste d'agrume, noix, grains de chocolat, etc.

NOTE : *Les spécialistes s'entendent pour dire qu'il n'est pas recommandé d'exclure le blé de son alimentation si l'on ne souffre pas d'une intolérance au gluten ou de la maladie cœliaque. Un régime sans gluten ne garantit aucunement une perte de poids ou une amélioration de la santé. Plusieurs produits exempts de gluten contiennent plus de sucre, de gras et de calories et moins de nutriments (fibres, vitamines B, fer) que les produits qui en contiennent. Consultez un médecin ou un diététiste compétent avant d'entreprendre un régime sans gluten.*

Sauce crémeuse pour les fruits

Prenez la bonne habitude d'offrir à vos invités un plateau de fruits frais servis avec cette superbe sauce crémeuse. On utilise peu d'édulcorant afin de laisser toute la place au bon goût sucré des fruits frais : fraises, melons, kiwis, tranches de pommes, etc.

10 PORTIONS

120 g (½ tasse) de yogourt nature pauvre en matière grasse

120 g (½ tasse) de cottage pauvre en matière grasse

60 g (¼ de tasse) de crème sure ou aigre pauvre en matière grasse

2 c. à soupe d'édulcorant sans calories en granulés

½ c. à thé (à café) de zeste de lime (citron vert), râpé

1. À l'aide du robot culinaire ou du pied-mélangeur (mixeur-plongeur), mélanger le yogourt et le cottage jusqu'à consistance parfaitement lisse et crémeuse.

2. Verser dans un bol moyen et incorporer la crème sure, l'édulcorant et le zeste. Réfrigérer jusqu'au moment de servir.

INFORMATION NUTRITIONNELLE PAR PORTION (2 C. À SOUPE) : Calories : 25 | Glucides : 2 g (Sucres : 2 g) | Gras total : 1 g (0,5 g sat.) | Protéines : 2 g | Fibres : 0 g | Cholestérol : 5 mg | Sodium : 50 mg | Équivalences alimentaires : 0 | Choix de glucides : 0 | Valeur PointsPlus Weight Watchers : 1

Sauce à tremper aux oignons caramélisés

Servez cette sauce avec des crudités : carottes miniatures, tranches de poivrons rouges, bâtonnets de céleri, etc. Les oignons caramélisés lui donnent un goût extraordinaire tandis que la sauce soja et l'oignon séché viennent ajouter de la texture et du goût à l'ensemble.

1 c. à thé (à café) d'huile de canola (colza)

480 g (3 tasses) d'oignons, hachés grossièrement ou coupés en tranches

1 c. à thé (à café) de cassonade ou de sucre roux

3 c. à soupe de fromage à la crème allégé

3 c. à soupe de mayonnaise allégée

250 ml (1 tasse) de crème sure ou aigre allégée

1 c. à thé (à café) d'oignon séché haché finement

¾ de c. à thé (à café) de sauce soja pauvre en sodium

¼ de c. à thé (à café) de sauce Worcestershire

¼ de c. à thé (à café) de sel

¼ de c. à thé (à café) de poivre du moulin

1. Dans une poêle antiadhésive moyenne, chauffer l'huile à feu moyen-vif. Ajouter les oignons, couvrir et cuire à feu moyen pendant 10 minutes en remuant de temps à autre. (Pour gagner du temps, on peut d'abord cuire les oignons au micro-ondes pendant 5 minutes avant de les faire revenir à la poêle.)

2. Ajouter la cassonade et faire revenir les oignons de 7 à 10 minutes ou jusqu'à ce qu'ils soient bien caramélisés. Retirer du feu.

3. Dans un bol moyen, mélanger le fromage et la mayonnaise. Ajouter la crème sure, le reste des ingrédients et les oignons caramélisés.

4. Servir aussitôt ou réfrigérer dans un plat couvert pendant 30 minutes pour laisser les saveurs se mélanger. Servir froid comme sauce à tremper.

INFORMATION NUTRITIONNELLE PAR PORTION (3 C. À SOUPE) : Calories : 70 | Glucides : 7 g (Sucres : 5 g) | Gras total : 4 g (2 g sat.) | Protéines : 3 g | Fibres : 1 g | Cholestérol : 10 mg | Sodium : 140 mg | Équivalences alimentaires : 1 Légume, 1 Gras | Choix de glucides : ½ | Valeur PointsPlus Weight Watchers : 2

Chips de pita au four

Pour faire des chips plus épaisses, il suffit de ne pas ouvrir les pitas en deux. Il faudra alors doubler le nombre de calories. Essayez aussi la variante à la cannelle et vous deviendrez vite un adepte.

8 PORTIONS

4 pitas de blé entier ou ordinaires

½ c. à thé (à café) de sel (ou plus, au goût)

½ c. à thé (à café) de paprika

¼ de c. à thé (à café) de poudre d'ail

1. Préchauffer le four à 180 °C/350 °F/gaz 4.

2. Mettre 2 pitas l'un sur l'autre et couper en 8 pointes. À l'aide d'un couteau bien affûté, couper minutieusement chacune des pointes en deux du côté le plus large. Vaporiser une plaque à pâtisserie d'enduit végétal. Ranger les morceaux de pita sur la plaque et vaporiser uniformément d'enduit végétal. Mélanger les assaisonnements dans un petit bol et les parsemer sur le pain.

3. Cuire au four de 8 à 10 minutes ou jusqu'à ce que les chips de pita soient croustillantes et bien dorées.

Variante : Chips de pita au sucre et à la cannelle : *remplacer les assaisonnements par 1 c. à soupe de sucre, 2 c. à soupe d'édulcorant sans calories en granulés et 2 c. à thé (à café) de cannelle moulue. Vaporiser les pitas d'enduit végétal ordinaire ou à saveur de beurre et cuire comme indiqué à l'étape 3. Ajouter 6 calories et 1 g de glucides par portion.*

INFORMATION NUTRITIONNELLE PAR PORTION (8 chips) : Calories : 85 | Glucides : 17 g (Sucres : 5 g) | Gras total : 1 g (0 g sat.) | Protéines : 3 g | Fibres : 2 g | Cholestérol : 0 mg | Sodium : 300 mg | Équivalences alimentaires : 1 Glucide | Choix de glucides : 1 | Valeur PointsPlus Weight Watchers : 2

Pailles d'asperges en croûte de parmesan

Si vous voulez faire un plat d'accompagnement, doublez simplement la recette. Ces pailles sont particulièrement délicieuses avec les viandes grillées, surtout les biftecks bien juteux. Servez-les sur un plateau blanc de préférence : de toute beauté !

6 PORTIONS

500 g (1 lb) d'asperges moyennes (18 à 20 tiges)

2 c. à soupe de mayonnaise allégée

2 gros blancs d'œufs

1 c. à thé (à café) de moutarde de Dijon

40 g (⅓ de tasse) de chapelure panko

3 c. à soupe de parmesan, râpé

¼ de c. à thé (à café) de sel épicé

¼ de c. à thé (à café) de piment de Cayenne

1. Préchauffer le four à 200 °C/400 °F/gaz 6. Placer une grille sur une plaque à pâtisserie et vaporiser d'enduit végétal. Laver et éponger minutieusement les asperges, puis casser et jeter les bouts coriaces. Réserver.

2. Dans un petit bol, à l'aide d'un fouet, mélanger délicatement la mayonnaise, les blancs d'œufs et la moutarde. Verser dans un bol large et peu profond (on doit pouvoir y coucher les asperges). Dans un autre bol de même format, mélanger la chapelure, le parmesan, le sel épicé et le cayenne.

3. Tremper de 4 à 6 asperges à la fois dans la préparation de blancs d'œufs. Enrober ensuite uniformément de chapelure, puis ranger sur la plaque à pâtisserie. Faire de même avec les autres asperges.

4. Vaporiser légèrement les asperges d'enduit végétal et cuire au four de 15 à 18 minutes en retournant à mi-cuisson. Servir les asperges dès qu'elles sont bien dorées, tendres mais encore un peu croquantes.

INFORMATION NUTRITIONNELLE PAR PORTION (environ 3 pailles) : Calories : 60 | Glucides : 7 g (Sucres : 2 g) | Gras total : 2 g (0,5 g sat.) | Protéines : 4 g | Fibres : 2 g | Cholestérol : 5 mg | Sodium : 180 mg | Équivalences alimentaires : 1 Légume, ½ Gras | Choix de glucides : ½ | Valeur PointsPlus Weight Watchers : 1

Étagé de légumes à la féta

Tout ce que l'on apprécie de la salade grecque se retrouve dans cette recette qui se prépare en un rien de temps. Ce plat est tout désigné pour les repas communautaires et les fêtes entre amis.

250 g (1 tasse) de hoummos

180 g (¾ de tasse) de crème sure ou aigre allégée

40 g (1 tasse) d'épinards frais, hachés

150 g (¾ de tasse) de tomates, épépinées et hachées

½ concombre, pelé, épépiné et haché

40 g (¼ de tasse) d'oignon rouge, en demi-lunes

40 g (¼ de tasse) de féta pauvre en matière grasse, émiettée

3 olives Kalamata, hachées

Persil frais, haché (facultatif)

1. Étaler le hoummos dans un moule à tarte en verre de 23 cm (9 po) ou une grande assiette. Étaler la crème sure sur le hoummos, puis ajouter successivement les épinards, les tomates, le concombre, l'oignon, la féta et les olives. Ajouter un peu de persil tout autour.

2. Couvrir de pellicule de plastique ou de papier d'aluminium et réfrigérer jusqu'au moment de servir.

INFORMATION NUTRITIONNELLE PAR PORTION (60 g/⅓ de tasse) : Calories : 80 | Glucides : 6 g (Sucres : 2 g) | Gras total : 5 g (1,5 g sat.) | Protéines : 4 g | Fibres : 1 g | Cholestérol : 5 mg | Sodium : 85 mg | Équivalences alimentaires : ½ Glucide, 1 Gras | Choix de glucides : ½ | Valeur PointsPlus Weight Watchers : 2

Crevettes à la noix de coco

Ces crevettes sucrées et croustillantes sont vraiment exceptionnelles. Une vraie recette santé qui n'en a pas l'air !

50 g (½ tasse) de noix de coco râpée non sucrée

90 g (¾ de tasse) de chapelure panko

30 g (¼ de tasse) de chapelure sèche

125 ml (½ tasse) de babeurre pauvre en matière grasse

2 c. à soupe de mayonnaise allégée

½ c. à thé (à café) d'extrait de noix de coco

500 g (1 lb) de crevettes grosses ou extra-grosses (environ 24), décortiquées et déveinées

1 c. à soupe de vinaigre de riz

¾ de c. à thé (à café) de sauce soja pauvre en sodium

6 c. à soupe de marmelade sans sucre

3 c. à soupe de jus d'ananas

½ c. à thé (à café) de flocons de piment

1. Préchauffer le four à 220 °C/425 °F/gaz 7. Vaporiser légèrement une grande plaque à pâtisserie d'enduit végétal.

2. Dans un bol large et peu profond, mélanger la noix de coco, la chapelure panko et la chapelure sèche.

3. Dans un autre bol moyen, à l'aide d'un fouet, mélanger le babeurre, la mayonnaise et l'extrait de noix de coco. Tremper les crevettes une à une dans le babeurre, puis les enrober de chapelure. Ranger les crevettes panées sur la plaque à pâtisserie, puis les vaporiser d'enduit végétal. (Truc: la chapelure adhérera mieux aux crevettes si on les met d'abord au congélateur pendant 15 minutes.)

4. Cuire au four pendant 15 minutes, puis passer les crevettes sous le gril pendant 1 minute jusqu'à ce qu'elles soient légèrement dorées (bien surveiller la cuisson).

5. Pour préparer la sauce, mélanger le reste des ingrédients dans une petite tasse à mesurer (verre gradué). Réchauffer au micro-ondes, à puissance maximale, de 30 à 60 secondes. Remuer et servir avec les crevettes.

INFORMATION NUTRITIONNELLE PAR PORTION (3 crevettes + sauce) : Calories : 165 | Glucides : 18 g (Sucres : 3 g) | Gras total : 6 g (4 g sat.) | Protéines : 12 g | Fibres : 1 g | Cholestérol : 90 mg | Sodium : 230 mg | Équivalences alimentaires : 1 ½ Viande maigre, 1 Féculent | Choix de glucides : 1 | Valeur PointsPlus Weight Watchers : 5

Nachos à la dinde, aux haricots noirs et au cheddar

Vous pouvez déguster ces nachos sans le moindre sentiment de culpabilité, car il s'agit d'une version allégée de la recette traditionnelle. Servez-les avec du guacamole, de la salsa et de la crème sure ou aigre allégée. N'hésitez pas non plus à y ajouter plus de légumes.

4 PORTIONS

250 g (8 oz) de dinde hachée maigre

120 g (¾ de tasse) d'oignons, en dés

80 g (½ tasse) de poivrons rouges, en dés

1 ½ c. à thé (à café) d'assaisonnement au chili

1 c. à thé (à café) de cumin

1 pincée de piment de Cayenne

100 g (½ tasse) de tomates grillées en dés en conserve

125 ml (½ tasse) d'eau

100 g (½ tasse) de haricots noirs en conserve, rincés et égouttés

2 c. à thé (à café) de margarine ou de beurre

2 c. à thé (à café) de farine tout usage (type 55)

125 ml (½ tasse) de bouillon de poulet pauvre en sodium

1 pincée de poudre d'ail

120 g (1 tasse) de cheddar pauvre en matière grasse, râpé

90 g (3 oz) de chips tortillas pauvres en matière grasse (environ 25)

Olives noires et oignons verts (facultatif)

1. Vaporiser une poêle antiadhésive moyenne d'enduit végétal et chauffer à feu moyen-vif. Ajouter la dinde, les oignons et les poivrons, puis défaire la volaille à l'aide d'une cuillère. Cuire pendant 10 minutes ou jusqu'à ce que la dinde soit dorée et que les légumes soient tendres.

2. Ajouter l'assaisonnement au chili, le cumin et le cayenne. Ajouter les tomates et l'eau. Couvrir et cuire à feu doux environ 10 minutes en remuant de temps à autre. Ajouter les haricots noirs et cuire jusqu'à ce qu'ils soient chauds. Couvrir et retirer du feu.

3. Dans une petite casserole, à feu doux, faire fondre la margarine avec la farine et remuer à l'aide d'un fouet jusqu'à consistance lisse. Ajouter le bouillon et la poudre d'ail. Porter à ébullition et remuer sans cesse environ 1 minute. Retirer du feu et incorporer le cheddar, 60 g (½ tasse) à la fois.

4. Servir les chips tortillas dans une grande assiette. Couvrir avec la préparation de haricots noirs et napper de fromage fondu. Garnir au goût (olives noires, oignons verts, etc.) et servir aussitôt.

INFORMATION NUTRITIONNELLE PAR PORTION (environ 6 chips tortillas garnies généreusement) : Calories : 160 | Glucides : 12 g (Sucres : 4 g) | Gras total : 7 g (2 g sat.) | Protéines : 13 g | Fibres : 3 g | Cholestérol : 45 mg | Sodium : 260 mg | Équivalences alimentaires : 2 Viande maigre, 1 Féculent | Choix de glucides : 1 | Valeur PointsPlus Weight Watchers : 4

Quésadilla au fromage

Cette quésadilla prête en 5 minutes ne contient que 100 calories. Une bonne idée comme hors-d'œuvre, entrée ou accompagnement. Que du bonheur !

1 tortilla de maïs de 15 cm (6 po)

1 c. à soupe de salsa

1 tranche de fromage fondu 2 %, coupée en 4 morceaux

Tranches de piment jalapeno en conserve (facultatif)

Sel (facultatif)

1. Vaporiser une petite poêle antiadhésive d'enduit végétal et chauffer à feu moyen-vif. Chauffer la tortilla pendant 30 secondes.

2. Laisser la tortilla dans la poêle. Couvrir la moitié de la tortilla de salsa et ajouter le fromage. Garnir de piment et plier en deux pour emprisonner la garniture. Presser à l'aide d'une spatule. Lorsque le fond est doré, vaporiser légèrement le dessus de la quésadilla d'enduit végétal. Retourner et cuire de l'autre côté. Saupoudrer de sel au goût pour avoir une texture plus croustillante.

3. La quésadilla est prête lorsque le bord est doré et que le fromage est fondu. Laisser reposer pendant 1 minute avant de servir, car la garniture sera très chaude.

Conseil : *En fondant, la tranche de fromage se transformera en une sauce savoureuse. Le fromage fondu écrémé et les autres variétés de fromage râpé ne donneront pas de bons résultats pour cette recette.*

INFORMATION NUTRITIONNELLE PAR PORTION (1 quésadilla) : Calories : 100 | Glucides : 14 g (Sucres : 4 g) | Gras total : 3 g (1,5 g sat.) | Protéines : 5 g | Fibres : 1 g | Cholestérol : 10 mg | Sodium : 390 mg | Équivalences alimentaires : 1 Féculent, 1 Viande maigre | Choix de glucides : 1 | Valeur PointsPlus Weight Watchers : 3

Soupes et sandwichs extraordinaires

LE SEL

Une chose est sûre : le sel améliore vraiment le goût des aliments. Il met aussi les autres ingrédients en valeur en atténuant leur amertume ou en soulignant leurs notes sucrées ou aigres. Il peut aussi ajouter de la texture aux plats ou rehausser leur couleur en plus d'être un excellent produit de conservation. Malheureusement, il a aussi un côté sombre qu'il ne faut pas négliger. Consommé avec excès, il peut augmenter la pression artérielle et, par le fait même, les risques d'accident vasculaire cérébral et de maladie cardiaque.

La meilleure façon d'éviter une surconsommation de sel est de manger à la maison plutôt qu'au restaurant. Plusieurs aliments comme les fruits frais ou surgelés, les légumes, les céréales et les viandes maigres contiennent naturellement peu de sodium. Pour donner plus de goût à vos plats, apprenez à employer judicieusement les fines herbes et les épices. N'ajoutez le sel qu'en fin de cuisson. Il va de soi que les mets préparés avec une grande quantité d'épices ou de sucre réclament beaucoup moins de sel.

En prenant soin de rincer les légumineuses et les légumes en conserve, vous éliminerez la moitié de leur sodium. Si vous achetez des produits impossibles à rincer (sauces, bouillons, tomates étuvées, etc.), lisez bien l'étiquette afin d'acheter les produits contenant le moins de sel possible.

Une bonne façon d'atténuer les effets néfastes du sodium sur la santé est de consommer plus d'aliments riches en potassium : pommes de terre, tomates, épinards, bettes à cardes, haricots, oranges et bananes.

Chaudrée de palourdes de la Nouvelle-Angleterre

Si vous utilisez la pomme de terre au lieu du navet, comptez 15 calories et 4 g de glucides de plus par portion.
Il est étonnant de constater que le navet ne modifie pas du tout le goût de cette recette.

5 PORTIONS

2 tranches de bacon maigre

½ oignon moyen, haché

2 branches de céleri, hachées

1 gros navet ou 1 pomme de terre moyenne, pelé et coupé en cubes

3 c. à soupe de farine instantanée

375 g (12 oz) de myes (palourdes ou praires) en conserve, hachées

250 ml (1 tasse) de jus de myes (palourdes) en bouteille

250 ml (1 tasse) de lait pauvre en matière grasse

½ c. à thé (à café) de thym séché

½ c. à thé (à café) de poudre d'ail

½ c. à thé (à café) de poudre d'oignon

¼ de c. à thé (à café) de sel (facultatif)

¼ de c. à thé (à café) de poivre du moulin

60 ml (¼ de tasse) de crème 11,5 % ou fleurette

1. Dans une grande casserole moyenne, à feu moyen-vif, cuire le bacon jusqu'à ce qu'il devienne croustillant. Émietter et réserver dans un bol.

2. Dans la même casserole, faire revenir l'oignon, le céleri et le navet pendant 5 minutes ou jusqu'à ce que l'oignon soit tendre. Saupoudrer les légumes avec 2 c. à soupe de farine et cuire pendant 1 minute.

3. Égoutter les myes, verser leur liquide dans la casserole et réserver les myes dans un bol. Verser le jus de myes en bouteille et le lait dans la casserole. Ajouter le thym, puis ajouter les poudres d'ail et d'oignon, le sel et le poivre. Porter à ébullition. Baisser le feu, couvrir et laisser mijoter pendant 15 minutes ou jusqu'à ce que la consistance épaississe et que la pomme de terre soit tendre (cuire 5 minutes de moins si on utilise du navet).

4. Mélanger la crème avec le reste de la farine. Verser dans la casserole, puis ajouter les myes et le bacon. Cuire de 2 à 3 minutes ou jusqu'à épaississement. Rectifier l'assaisonnement au besoin.

INFORMATION NUTRITIONNELLE PAR PORTION (250 ml/1 tasse) : Calories : 145 | Glucides : 14 g (Sucres : 9 g) | Gras total : 2 g (1 g sat.) | Protéines : 13 g | Fibres : 2 g | Cholestérol : 35 mg | Sodium : 420 mg | Équivalences alimentaires : 1 ½ Viande maigre, 1 Féculent | Choix de glucides : 1 | Valeur PointsPlus Weight Watchers : 3

Soupe au poulet et aux champignons

Cette soupe est encore meilleure quand on la recouvre d'une croûte. Étalez de la pâte à tarte réfrigérée sur un plan de travail et coupez six cercles de 9,5 cm (3 ¾ po) à l'aide d'un emporte-pièce. Rangez-les sur une plaque à pâtisserie, piquez-les à l'aide d'une fourchette et badigeonnez-les de lait avant de les cuire au four préchauffé à 220 °C/425 °F/gaz 7 de 12 à 15 minutes. Avant de servir la soupe, posez une croûte* sur chaque bol.

1 c. à thé (à café) d'huile de canola (colza)

½ petit oignon, haché

2 branches de céleri, hachées

1 grosse pomme de terre, pelée et coupée en cubes

80 g (1 tasse) de champignons, en tranches

¾ de c. à thé (à café) de thym séché

1 c. à thé (à café) de poudre d'ail

375 g (2 ½ tasses) de macédoine de légumes surgelée

1 litre (4 tasses) de bouillon de poulet pauvre en sodium

½ c. à thé (à café) de sel

½ c. à thé (à café) rase de poivre du moulin

375 ml (1 ½ tasse) de lait évaporé (lait concentré non sucré) pauvre en matière grasse

55 g (⅓ de tasse) de farine instantanée

320 g (2 tasses) de poulet, cuit et coupé en dés

1. Dans une grande casserole, à feu moyen, chauffer l'huile et faire sauter l'oignon et le céleri de 4 à 5 minutes. Ajouter la pomme de terre et les champignons et cuire 2 minutes de plus. Ajouter le thym et saupoudrer les légumes de poudre d'ail. Mélanger et cuire pendant 1 minute.

2. Ajouter la macédoine de légumes, le bouillon, le sel et le poivre. Couvrir et laisser mijoter de 15 à 18 minutes ou jusqu'à ce que la pomme de terre soit tendre (la consistance sera très épaisse).

3. Dans un bol, mélanger le lait évaporé et la farine. Verser dans la casserole, puis ajouter le poulet. Laisser mijoter à feu doux de 3 à 5 minutes en remuant jusqu'à épaississement (ajouter un peu d'eau si la soupe est trop épaisse).

* *Si on sert la soupe avec une croûte, il faut ajouter 110 calories, 7 g de gras et 12 g de glucides.*

INFORMATION NUTRITIONNELLE PAR PORTION (375 ml/1 ½ tasse) : Calories : 230 | Glucides : 30 g (Sucres : 9 g) | Gras total : 3 g (1 g sat.) | Protéines : 22 g | Fibres : 4 g | Cholestérol : 10 mg | Sodium : 470 mg | Équivalences alimentaires : 2 Viande maigre, 2 Légumes, 1 Féculent, ½ Lait pauvre en matière grasse | Choix de glucides : 2 | Valeur PointsPlus Weight Watchers : 6

Soupe au poulet à la sauce enchilada

Cette soupe est délicieuse telle quelle, mais elle fait aussi un repas hors du commun avec la quésadilla au fromage (page 72), la salade de bœuf haché au poivron rouge (page 109) ou le tilapia pané tout simple (page 88). Servie comme plat principal, elle donne 4 portions de 375 ml (1 ½ tasse) chacune.

6 PORTIONS

1 c. à thé (à café) d'huile d'olive

80 g (½ tasse) d'oignons, en dés

½ c. à thé (à café) d'ail, haché finement

750 ml (3 tasses) de bouillon de poulet pauvre en sodium

430 ml (1 ¾ tasse) d'eau

180 ml (¾ de tasse) de sauce pour enchiladas

30 g (¼ de tasse) + 2 c. à soupe de semoule de maïs

1 c. à thé (à café) d'assaisonnement au chili

½ c. à thé (à café) de cumin moulu

320 g (2 tasses) de poulet, cuit et effiloché

4 tranches de fromage fondu 2 %

Tomate en dés, coriandre fraîche hachée et quartiers de lime (citron vert) (facultatif)

1. Dans une grande casserole, à feu moyen, chauffer l'huile et faire sauter les oignons de 3 à 4 minutes ou jusqu'à ce qu'ils soient translucides. Ajouter l'ail et faire sauter de 1 à 2 minutes.

2. Verser le bouillon, 250 ml (1 tasse) d'eau et la sauce pour enchiladas. Porter à faible ébullition.

3. Dans un petit bol, à l'aide d'un fouet, mélanger la semoule de maïs et le reste de l'eau. Verser dans la casserole, puis ajouter l'assaisonnement au chili et le cumin. Laisser mijoter de 4 à 5 minutes en remuant de temps à autre jusqu'à épaississement.

4. Ajouter le poulet et le fromage et laisser mijoter à feu doux pendant 10 minutes. Garnir de tomate en dés et de coriandre et accompagner de quartiers de lime, si désiré.

Conseil : *On peut conserver le reste de la sauce pour enchiladas pendant plusieurs semaines dans un contenant hermétique gardé au réfrigérateur. Pour faire des tortillas, des tacos ou des burritos encore plus savoureux, mélangez la sauce avec un reste de viande cuite. Cela remplace aussi magnifiquement la salsa pour accompagner les œufs ou les quésadillas.*

INFORMATION NUTRITIONNELLE PAR PORTION (250 ml/1 tasse) : Calories : 135 | Glucides : 12 g (Sucres : 2 g) | Gras total : 3 g (1 g sat.) | Protéines : 15 g | Fibres : 2 g | Cholestérol : 0 mg | Sodium : 620 mg | Équivalences alimentaires : 2 Viande maigre, 1 Féculent | Choix de glucides : 1 | Valeur PointsPlus Weight Watchers : 3

Soupe aux légumes inégalable

Préparez cette soupe avec des légumes frais pendant l'été et des légumes surgelés pendant la saison froide. Ces derniers renferment autant de nutriments que les frais, car ils sont cueillis et surgelés alors qu'ils sont au faîte de leur maturité. Pour obtenir une soupe plus consistante, ajoutez 110 g (½ tasse) d'orge ou de riz à cuisson rapide et 125 ml (½ tasse) d'eau à l'étape 2.

2 c. à thé (à café) d'huile d'olive

½ oignon moyen, haché

1 branche de céleri, hachée

1 c. à soupe d'ail, haché finement

2 carottes moyennes, en rondelles

1 courgette moyenne, hachée

200 g (1 tasse) de haricots verts frais ou surgelés, en morceaux de 2 cm (¾ de po)

90 g (½ tasse) de maïs frais ou surgelé

1 c. à thé (à café) d'assaisonnement à l'italienne

1 litre (4 tasses) de bouillon de poulet pauvre en sodium

350 g (1 ¾ tasse) de tomates grillées en dés en conserve

1 pincée de sel (ou plus, au goût)

¼ de c. à thé (à café) de poivre du moulin

8 c. à thé (à café) de parmesan, râpé (facultatif)

1. Dans une grande casserole, à feu moyen, chauffer l'huile et faire revenir l'oignon et le céleri pendant 5 minutes. Ajouter l'ail, les carottes, la courgette, les haricots verts et le maïs. Incorporer l'assaisonnement à l'italienne et cuire de 3 à 4 minutes en remuant.

2. Verser le bouillon, augmenter la chaleur et porter à faible ébullition. Ajouter les tomates, le sel et le poivre. Couvrir et laisser mijoter à feu doux pendant 20 minutes ou jusqu'à ce que les légumes soient tendres. Rectifier l'assaisonnement au besoin. Servir dans des bols et garnir chaque portion avec 1 c. à thé (à café) de parmesan.

Conseil : *Des chercheurs de l'Université de l'État de la Pennsylvanie ont découvert que les personnes qui mangeaient des soupes à base de bouillon (ou des soupes à base de crème pauvres en matière grasse) une ou deux fois par jour perdaient du poids plus facilement que celles qui consommaient le même nombre de calories sous forme de grignotines.*

INFORMATION NUTRITIONNELLE PAR PORTION (250 ml/1 tasse) : Calories : 60 | Glucides : 9 g (Sucres : 5 g) | Gras total : 1 g (0 g sat.) | Protéines : 3 g | Fibres : 2 g | Cholestérol : 0 mg | Sodium : 440 mg | Équivalences alimentaires : 2 Légumes | Choix de glucides : ½ | Valeur PointsPlus Weight Watchers : 1

Bisque de poivrons rouges

Savourez cette belle soupe colorée avec une salade ou un sandwich pour le repas du midi ou comme entrée pour le repas du soir. Vous pouvez utiliser des poivrons rôtis en pot, mais il est si simple de les faire griller soi-même.

6 PORTIONS

2 c. à thé (à café) d'huile de canola (colza)

1 gousse d'ail, hachée finement

1 petite échalote, en dés

320 g (2 tasses) de poivrons rouges rôtis

1 c. à soupe de pâte de tomates

1 litre (4 tasses) de bouillon de poulet pauvre en sodium

1 c. à thé (à café) de sucre

1 c. à thé (à café) de paprika (fumé de préférence)

1 pincée de piment de Cayenne

1 pincée de sel

125 ml (½ tasse) de crème 11,5 % ou fleurette

2 c. à thé (à café) de fécule de maïs

Crème sure ou aigre allégée (facultatif)

1. Dans une grande casserole, à feu moyen, chauffer l'huile et faire sauter l'ail et l'échalote de 3 à 4 minutes. Ajouter les poivrons, la pâte de tomates, le bouillon, le sucre, le paprika, le cayenne et le sel. Porter à ébullition. Baisser le feu et laisser mijoter pendant 10 minutes.

2. Dans un petit bol, à l'aide d'un fouet, mélanger la crème 11,5 % et la fécule de maïs. Réserver.

3. À l'aide du mélangeur ou du pied-mélangeur (mixeur-plongeur), réduire la préparation en purée tout en versant la fécule de maïs diluée. Mélanger jusqu'à consistance lisse. Si on a utilisé un mélangeur, transvider la soupe dans la casserole. Laisser mijoter à feu doux de 1 à 2 minutes ou jusqu'à ce que la bisque soit chaude et consistante. Servir dans des bols et garnir de crème sure ou aigre au goût.

Conseil: *Pour faire griller les poivrons, épépinez-les, puis coupez-les en grosses lanières. Rangez-les ensuite sur une plaque à pâtisserie, peau tournée vers le haut, et passez-les sous le gril du four environ 15 minutes ou jusqu'à ce que la pelure soit complètement noircie. Placez-les dans un sac hermétique pendant 15 minutes, puis pelez-les avec les doigts.*

INFORMATION NUTRITIONNELLE PAR PORTION (250 ml/1 tasse) : Calories : 85 | Glucides : 12 g (Sucres : 4 g) | Gras total : 2 g (0 g sat.) | Protéines : 4 g | Fibres : 2 g | Cholestérol : 0 mg | Sodium : 390 mg | Équivalences alimentaires : 2 Légumes | Choix de glucides : 1 | Valeur PointsPlus Weight Watchers : 2

Potage de pommes de terre au bacon

Ce potage est rempli de saveurs sans pour autant contenir trop de calories, de sodium ou de gras. Vous pouvez utiliser le bacon, le cheddar et la crème comme garnitures, mais vous pouvez également les incorporer au potage à l'étape 3.

2 grosses pommes de terre Russet

2 tranches de bacon, hachées

80 g (½ tasse) d'oignons, en petits dés

2 gousses d'ail, hachées finement

½ c. à thé (à café) de thym séché

1 litre (4 tasses) de bouillon de poulet pauvre en sodium

125 ml (½ tasse) de lait pauvre en matière grasse

125 ml (½ tasse) de crème 11,5 % ou fleurette

2 c. à soupe de farine instantanée

¼ de c. à thé (à café) de sel (ou plus, au goût)

½ c. à thé (à café) de poivre du moulin

30 g (¼ de tasse) de cheddar pauvre en matière grasse, râpé

60 g (¼ de tasse) de crème sure ou aigre allégée

Ciboulette ou oignon vert (partie verte), haché finement

1. Cuire les pommes de terre au micro-ondes, à puissance maximale, pendant 10 minutes ou jusqu'à ce qu'elles soient tendres sous la fourchette.

2. Entre-temps, cuire le bacon dans une grande casserole à feu moyen-vif jusqu'à ce qu'il devienne croustillant. Ajouter les oignons et cuire de 3 à 4 minutes. Ajouter l'ail et le thym et cuire pendant 1 minute. Verser le bouillon et le lait. Couper les pommes de terre en deux, retirer la pulpe et la mettre dans la casserole. Écraser les pommes de terre à l'aide d'une cuillère ou d'un pilon à purée et laisser mijoter pendant 5 minutes.

3. À l'aide du mélangeur ou du pied-mélangeur (mixeur-plongeur), réduire la préparation en purée lisse. Si on a utilisé un mélangeur, transvider la soupe dans la casserole. Dans un bol, à l'aide d'un fouet, mélanger la crème 11,5 % et la farine. Verser dans la soupe et porter à faible ébullition en remuant sans cesse jusqu'à épaississement. Saler et poivrer au goût.

4. Incorporer le cheddar et la crème sure. (Ou garnir chaque bol avec 2 c. à thé/à café de cheddar et 2 c. à thé/à café de crème sure.) Garnir de ciboulette au goût.

INFORMATION NUTRITIONNELLE PAR PORTION (250 ml/1 tasse) : Calories : 165 | Glucides : 22 g (Sucres : 5 g) | Gras total : 4 g (1,5 g sat.) | Protéines : 10 g | Fibres : 2 g | Cholestérol : 5 mg | Sodium : 380 mg | Équivalences alimentaires : 1 ½ Féculent, ½ Viande maigre | Choix de glucides : 1 ½ | Valeur PointsPlus Weight Watchers : 4

Sandwichs à la salade de poulet

N'oubliez pas les carottes râpées qui donnent de la couleur et de la texture à ces sandwichs. Leur léger goût sucré accompagne très bien la salade de poulet.

4 PORTIONS

320 g (2 tasses) de poitrines (blancs) de poulet, cuites et coupées en cubes

2 c. à soupe de sauce piquante

70 g (½ tasse) de céleri, en dés

3 c. à soupe de mayonnaise allégée

2 c. à soupe de yogourt nature pauvre en matière grasse

¼ de c. à thé (à café) de poudre d'oignon

¼ de c. à thé (à café) de poudre d'ail

2 c. à soupe de fromage bleu, émietté

4 grandes feuilles de laitue

8 tranches de pain blanc ou de blé entier allégé

80 g (½ tasse) de carottes, râpées

1. Dans un grand bol, bien mélanger le poulet et 1 c. à soupe de sauce piquante. Ajouter le céleri.

2. Dans un petit bol, mélanger la mayonnaise et le yogourt avec les poudres d'oignon et d'ail. Incorporer le fromage, puis mélanger avec le poulet. Ajouter le reste de la sauce piquante.

3. Pour assembler les sandwichs, répartir la laitue sur 4 tranches de pain. Ajouter un peu de la préparation de poulet et 2 c. à soupe de carottes sur chaque tranche. Refermer les sandwichs.

Conseil : *Pour remplacer la mayonnaise ordinaire, rien de tel que la mayonnaise allégée mélangée à parts égales avec du yogourt nature pauvre en matière grasse. Saviez-vous que 6 c. à soupe de mayonnaise ordinaire contenaient 600 calories tandis que la même quantité de ce mélange allégé n'en renferme que 135 !*

INFORMATION NUTRITIONNELLE PAR PORTION (1 sandwich) : Calories : 220 | Glucides : 24 g (Sucres : 3 g) | Gras total : 6 g (1,5 g sat.) | Protéines : 21 g | Fibres : 6 g | Cholestérol : 5 mg | Sodium : 460 mg | Équivalences alimentaires : 3 Viande maigre, 1 ½ Féculent | Choix de glucides : 1 ½ | Valeur PointsPlus Weight Watchers : 6

Chili au bœuf parfumé au cacao

Le cacao et la cannelle sont des ingrédients magiques dans ce chili original qui plaira à tous.

500 g (1 lb) de bœuf haché maigre

320 g (2 tasses) d'oignons, hachés

2 gousses d'ail, hachées

4 c. à thé (à café) d'assaisonnement au chili

1 ½ c. à thé (à café) d'origan séché

1 ½ c. à thé (à café) de poudre de cacao non sucrée

¾ de c. à thé (à café) de cannelle moulue

½ c. à thé (à café) de cumin moulu

1 pincée de piment de la Jamaïque moulu

1 c. à soupe de vinaigre de cidre

2 c. à thé (à café) de cassonade ou de sucre roux

430 ml (1 ¾ tasse) de sauce tomate

250 ml (1 tasse) de bouillon de poulet pauvre en sodium

1. Dans une grande poêle, à feu moyen-vif, cuire le bœuf, les oignons et l'ail de 7 à 8 minutes en défaisant la viande à l'aide d'une fourchette.

2. Ajouter l'assaisonnement au chili, l'origan, le cacao, la cannelle, le cumin et le piment de la Jamaïque. Cuire pendant 1 minute ou jusqu'à ce que les épices libèrent tous leurs arômes.

3. Ajouter le reste des ingrédients et laisser mijoter à feu doux de 15 à 18 minutes. (Entre-temps, cuire des spaghettis si on veut servir le chili sur des pâtes.)

Conseil : *On sert traditionnellement ce chili de cinq façons différentes : nature ; sur des spaghettis ; sur des spaghettis avec du fromage râpé ; garni de haricots noirs ou d'oignons hachés ; ou encore sur des spaghettis avec des haricots noirs, des oignons et du fromage. Voilà de quoi satisfaire tous les goûts !*

INFORMATION NUTRITIONNELLE PAR PORTION (200 g/1 tasse) : Calories : 200 | Glucides : 16 g (Sucres : 8 g) | Gras total : 7 g (3g sat.) | Protéines : 25 g | Fibres : 4 g | Cholestérol : 60 mg | Sodium : 520 mg | Équivalences alimentaires : 3 ½ Viande maigre, 2 Légumes | Choix de glucides : 1 | Valeur PointsPlus Weight Watchers : 6

Sandwichs de salade de thon aux câpres

Le thon en conserve est une excellente source de protéines facile à apprêter. Ayez-en toujours quelques boîtes dans votre garde-manger. Les câpres et le citron apportent une touche très agréable à cette belle salade.

2 PORTIONS

1 ½ c. à soupe de mayonnaise allégée

1 ½ c. à soupe de yogourt nature pauvre en matière grasse

2 c. à thé (à café) de jus de citron

1 c. à thé (à café) de zeste de citron, râpé

½ gousse d'ail

1 c. à thé (à café) de câpres (facultatif)

180 g (6 oz) de thon blanc empaqueté dans l'eau, rincé et égoutté

4 tranches de pain blanc allégé

2 grandes feuilles de laitue

½ petit oignon rouge, en rondelles

1. Dans un bol moyen, mélanger la mayonnaise, le yogourt, le jus et le zeste de citron, l'ail et les câpres. Effeuiller le thon dans le bol et mélanger délicatement.

2. Couvrir deux des tranches de pain de laitue et répartir la préparation de thon. Garnir de rondelles d'oignon et refermer les sandwichs.

Conseil: *Cette préparation de thon peut être servie de mille et une façons: dans un pita, sur des craquelins de blé entier, mélangée avec des légumes verts ou encore comme farce dans une tomate évidée.*

INFORMATION NUTRITIONNELLE PAR PORTION (1 sandwich): Calories: 250 | Glucides: 21 g (Sucres: 6 g) | Gras total: 6 g (1 g sat.) | Protéines: 25 g | Fibres: 6 g | Cholestérol: 10 mg | Sodium: 540 mg | Équivalences alimentaires: 3 Viande maigre, 1 Féculent, ½ Gras | Choix de glucides: 1 | Valeur PointsPlus Weight Watchers: 5

Burgers de dinde au cheddar

Une fois que vous aurez essayé ces burgers cuits sur le gril, vous ne pourrez vous empêcher de les refaire chaque fois que vous cuisinerez au barbecue. Une véritable dépendance !

4 PORTIONS

40 g (½ tasse) de piments verts rôtis en pot

60 g (½ tasse) de cheddar fort pauvre en matière grasse, râpé

500 g (1 lb) de dinde hachée maigre

3 c. à soupe de chapelure sèche

½ c. à thé (à café) de cumin moulu

2 c. à soupe d'oignon, râpé

½ c. à thé (à café) de sel à l'ail

½ c. à thé (à café) de poivre du moulin

4 pains à hamburgers de blé entier

4 grandes feuilles de laitue

1 grosse tomate, en tranches

Tranches d'avocat (facultatif)

1. Égoutter les piments et en mettre 20 g (¼ de tasse) dans un petit bol. Mélanger avec le cheddar et réserver.

2. Mettre le reste des piments dans un grand bol. Ajouter la dinde, la chapelure et tous les assaisonnements. Mélanger délicatement et séparer en 4 boulettes de même grosseur. Diviser chaque boulette en deux et aplatir pour obtenir 2 galettes de 10 cm (4 po). Parsemer le quart du mélange piments-fromage sur une demi-galette en laissant une bordure de 2 cm (¾ de po) sans fromage tout autour. Couvrir avec l'autre demi-galette. (On obtiendra 4 galettes complètes.) Pincer les bords pour bien sceller le fromage et aplatir les galettes afin qu'elles aient toutes la même épaisseur. (Pour obtenir de meilleurs résultats, les réfrigérer avant de les faire cuire.)

3. Chauffer le gril à température élevée ou placer une poêle à fond cannelé à feu moyen-vif. Cuire les galettes de 3 à 4 minutes de chaque côté selon le goût. Retirer du feu et laisser reposer pendant 2 minutes.

4. Réchauffer les pains. Couvrir de laitue, ajouter la volaille et garnir de tranches de tomate et d'avocat. Refermer les burgers.

INFORMATION NUTRITIONNELLE PAR PORTION (1 burger) : Calories : 305 | Glucides : 25 g (Sucres : 1 g) | Gras total : 12 g (3,5 g sat.) | Protéines : 28 g | Fibres : 6 g | Cholestérol : 95 mg | Sodium : 760 mg | Équivalences alimentaires : 4 Viande maigre, 1 ½ Féculent | Choix de glucides : 1 ½ | Valeur PointsPlus Weight Watchers : 8

Sandwichs au fromage fondant

Ces sandwichs sont particulièrement bons avec la soupe aux tomates. L'ajout de pâte de tomates est une idée tout à fait géniale ! Si vous êtes amateur de mets réconfortants, voici de quoi combler votre appétit.

4 PORTIONS

60 g (¼ de tasse) de fromage à la crème allégé

2 c. à soupe de pâte de tomates

1 c. à soupe de basilic frais, haché finement (ou ½ c. à thé/à café de basilic séché)

¼ de c. à thé (à café) de sucre

¼ de c. à thé (à café) de poudre d'ail

¼ de c. à thé (à café) de poivre du moulin

8 tranches de pain blanc allégé

4 tranches de fromage fondu 2 % ou de cheddar fort

1. Dans un petit bol, bien mélanger le fromage à la crème, la pâte de tomates, le basilic, le sucre, la poudre d'ail et le poivre.

2. Étaler 1 c. à soupe comble de la préparation sur 4 tranches de pain. Couvrir avec une tranche de fromage fondu et refermer les sandwichs.

3. Placer une poêle antiadhésive à feu moyen-vif et vaporiser d'enduit végétal. Cuire les sandwichs de 2 à 3 minutes ou jusqu'à ce que le dessous soit bien doré. Retourner et cuire de 2 à 3 minutes ou jusqu'à ce que le fromage soit fondu et que le dessous soit bien doré.

Variante : *On peut remplacer le fromage fondu par de la mozzarella partiellement écrémée et le basilic par de l'origan. On peut aussi utiliser un gaufrier pour cuire les sandwichs jusqu'à ce qu'ils soient bien dorés.*

INFORMATION NUTRITIONNELLE PAR PORTION (1 sandwich) : Calories : 170 | Glucides : 21 g (Sucres : 1 g) | Gras total : 4,5 g (2 g sat.) | Protéines : 14 g | Fibres : 4 g | Cholestérol : 10 mg | Sodium : 530 mg | Équivalences alimentaires : 2 Viande maigre, 1 ½ Féculent | Choix de glucides : 1 ½ | Valeur PointsPlus Weight Watchers : 4

Sandwichs au poulet, au bacon et au fromage

Bonne nouvelle, ces sandwichs classiques renferment deux fois moins de calories et le tiers du gras et des glucides contenus dans les sandwichs de même type offerts au restaurant. Ils sont aussi remplis de fibres et de protéines.

4 PORTIONS

4 tranches de bacon

4 poitrines (blancs) de poulet désossées et sans peau (environ 500 g/1 lb)

Sel et poivre du moulin

4 tranches de cheddar pauvre en matière grasse

2 c. à thé (à café) d'eau

4 pains à hamburgers de blé entier

4 grandes feuilles de laitue verte ou rouge

4 tranches de tomate épaisses

½ petit oignon rouge, en tranches

60 ml (¼ de tasse) de sauce barbecue

1. Placer le bacon sur une feuille de papier absorbant et cuire au micro-ondes de 4 à 5 minutes ou jusqu'à ce qu'il devienne croustillant.

2. Attendrir les poitrines de poulet à l'aide de l'attendrisseur à viande jusqu'à ce qu'elles aient environ 1 cm (½ po) d'épaisseur. Saler et poivrer au goût. Vaporiser une grande poêle antiadhésive d'enduit végétal ou chauffer le gril. Cuire le poulet de 3 à 4 minutes de chaque côté ou jusqu'à ce qu'il soit doré et que la chair ne soit plus rosée au centre.

3. Couvrir chaque poitrine d'une tranche de cheddar. Ajouter l'eau dans la poêle et couvrir aussitôt pour faire fondre le fromage.

4. Réchauffer les pains sur le gril ou au micro-ondes. Couvrir la partie inférieure des pains d'une feuille de laitue, d'une tranche de tomate et d'oignon. Ajouter le poulet, la sauce barbecue et le bacon. Refermer les sandwichs.

INFORMATION NUTRITIONNELLE PAR PORTION (1 sandwich) : Calories : 320 | Glucides : 25 g (Sucres : 5 g) | Gras total : 10 g (4 g sat.) | Protéines : 37 g | Fibres : 4 g | Cholestérol : 80 mg | Sodium : 420 mg | Équivalences alimentaires : 5 Viande maigre, 1 ½ Féculent | Choix de glucides : 1 ½ | Valeur PointsPlus Weight Watchers : 8

Burgers au fromage bleu

Pour un goût de septième ciel, ajoutez des oignons caramélisés à ces burgers raffinés.

40 g (½ tasse) de champignons frais, émincés

3 c. à soupe de chapelure sèche

½ c. à thé (à café) de poivre du moulin

1 c. à thé (à café) de sel à l'ail

500 g (1 lb) de bœuf haché maigre

40 g (¼ de tasse) de fromage bleu, émietté

Poivre du moulin

4 pains à hamburgers de blé entier

4 grandes feuilles de laitue

1 grosse tomate, en tranches

1. Dans un grand bol convenant au micro-ondes, cuire les champignons à puissance maximale pendant 1 minute. Laisser refroidir un peu, puis ajouter la chapelure, le poivre, le sel à l'ail et la viande. Bien mélanger à l'aide d'une fourchette.

2. Séparer la préparation en 4 boulettes de même grosseur. Séparer chaque boulette en deux et aplatir pour obtenir 2 galettes de 10 cm (2 po). Placer 1 c. à soupe de fromage bleu au centre d'une demi-galette. Couvrir avec l'autre demi-galette. (On obtiendra 4 galettes complètes.) Pincer les bords pour bien sceller le fromage. (Pour obtenir de meilleurs résultats, réfrigérer les galettes avant de les faire cuire.)

3. Chauffer le gril ou placer une poêle à fond cannelé à feu moyen-vif. Cuire les galettes de 3 à 4 minutes de chaque côté selon le goût. Retirer du feu et laisser reposer pendant 2 minutes.

4. Réchauffer les pains. Couvrir la partie inférieure de laitue et de tranches de tomate. Ajouter la viande. Refermer les burgers.

INFORMATION NUTRITIONNELLE PAR PORTION (1 burger) : Calories : 360 | Glucides : 24 g (Sucres : 1 g) | Gras total : 16 g (7 g sat.) | Protéines : 32 g | Fibres : 5 g | Cholestérol : 55 mg | Sodium : 700 mg | Équivalences alimentaires : 4 ½ Viande maigre, 1 ½ Glucide, 1 Gras | Choix de glucides : 1 ½ | Valeur PointsPlus Weight Watchers : 9

Sandwichs au pastrami et à la choucroute

La combinaison de pastrami, de choucroute et de relish fait de cette recette un véritable chef-d'œuvre culinaire. Si vous n'avez pas de pastrami, remplacez-le par du smoked meat ou du bœuf séché.

2 PORTIONS

1 ½ c. à soupe de mayonnaise allégée

1 ½ c. à soupe de yogourt nature pauvre en matière grasse

1 c. à soupe de ketchup

1 c. à thé (à café) de relish de cornichons

4 tranches de pain de seigle

2 tranches de fromage suisse pauvre en matière grasse

10 tranches fines de pastrami (100 g/3 ½ oz)

4 c. à soupe de choucroute, rincée, égouttée et bien essorée

1. Dans un petit bol, à l'aide d'un fouet, mélanger la mayonnaise, le yogourt, le ketchup et la relish. Réserver.

2. Tartiner chacune des tranches de pain avec 1 c. à soupe de la sauce réservée. Couper les tranches de fromage en deux. Couvrir deux des tranches de pain avec un morceau de fromage, la moitié du pastrami, 2 c. à soupe de choucroute et un autre morceau de fromage. Refermer les sandwichs.

3. Vaporiser une grande poêle d'enduit végétal. Cuire les sandwichs à feu moyen de 3 à 4 minutes ou jusqu'à ce que le dessous soit bien doré.

4. Soulever les sandwichs et vaporiser la poêle de nouveau. Retourner les sandwichs et cuire 3 minutes de plus ou jusqu'à ce que le fromage soit fondu et que le dessous soit bien doré.

Conseil : *Une étude publiée dans l'American Journal of Clinical Nutrition indique que le pain de seigle provoquerait une réponse insulinique moins élevée que plusieurs pains de blé entier. Il s'agit donc d'un choix santé riche en fibres dont l'indice glycémique est peu élevé.*

INFORMATION NUTRITIONNELLE PAR PORTION (1 sandwich) : Calories : 270 | Glucides : 32 g (Sucres : 6 g) | Gras total : 8 g (2,5 g sat.) | Protéines : 17 g | Fibres : 4 g | Cholestérol : 10 mg | Sodium : 880 mg | Équivalences alimentaires : 2 ½ Viande maigre, 2 Féculents, ½ Gras | Choix de glucides : 2 | Valeur PointsPlus Weight Watchers : 7

Salades santé

Salade d'orzo aux épinards

Voici une salade idéale pour les pique-niques et les buffets. Ajoutez-y des crevettes ou du poulet pour faire une entrée légère qui comble l'appétit. On peut la servir chaude ou froide ou la réchauffer le lendemain de sa préparation.

150 g (¾ de tasse) d'orzo

1 c. à thé (à café) + 1 c. à soupe d'huile d'olive

2 c. à soupe de vinaigre de vin rouge

½ c. à thé (à café) de moutarde de Dijon

½ c. à thé (à café) d'origan séché

½ c. à thé (à café) de basilic séché

¼ de c. à thé (à café) de sel

¼ de c. à thé (à café) de poivre du moulin

80 g (2 tasses) d'épinards frais, en julienne

30 g (¼ de tasse) de tomates séchées tendres (non conservées dans l'huile), hachées

200 g (1 tasse) de tomates cerises, coupées en deux

1. Cuire l'orzo en suivant les indications inscrites sur l'emballage. Rincer et égoutter. Dans un grand bol, mélanger l'orzo avec 1 c. à thé (à café) d'huile et réserver.

2. **Vinaigrette :** dans un bol moyen, à l'aide d'un fouet, mélanger 1 c. à soupe d'huile d'olive, le vinaigre, la moutarde, l'origan, le basilic, le sel et le poivre.

3. Mélanger l'orzo avec la vinaigrette, les épinards, les tomates séchées et les tomates cerises.

Conseil : *Cette salade accompagne magnifiquement la viande, le poulet ou le poisson grillé. Pour la servir chaude, mélangez-la simplement avec de l'orzo chaud.*

INFORMATION NUTRITIONNELLE PAR PORTION (environ 120 g/⅔ de tasse) : Calories : 140 | Glucides : 24 g (Sucres : 2 g) | Gras total : 3 g (0 g sat.) | Protéines : 5 g | Fibres : 2 g | Cholestérol : 0 mg | Sodium : 170 mg | Équivalences alimentaires : 1 ½ | Féculent, 1 Légume | Choix de glucides : 1 ½ | Valeur PointsPlus Weight Watchers : 4

Salade de chou crémeuse

Cette salade disparaîtra comme par enchantement. Sa texture à la fois crémeuse et croquante est vraiment irrésistible !

8 PORTIONS

Sauce

120 g (½ tasse) de mayonnaise allégée

80 g (⅓ de tasse) de yogourt nature pauvre en matière grasse

80 ml (⅓ de tasse) de lait pauvre en matière grasse

1 c. à soupe de vinaigre de cidre

¾ de c. à thé (à café) de poudre d'oignon

¾ de c. à thé (à café) de poudre d'ail

¼ de c. à thé (à café) de sel

¼ de c. à thé (à café) de poivre du moulin

Salade

1,2 kg (6 tasses) de chou vert, haché

3 branches de céleri, hachées

2 carottes moyennes, hachées

3 c. à soupe de persil frais, haché finement

1. **Sauce :** dans un petit bol, à l'aide d'un fouet, mélanger tous les ingrédients.

2. **Salade :** dans un grand bol, mélanger le chou, le céleri et les carottes. Verser la sauce et mélanger. Ajouter le persil et remuer délicatement.

Conseil : *Pour obtenir une salade crémeuse et bien croquante, attendez au moment de servir pour verser la sauce sur les légumes. Ceux-ci peuvent être mélangés la veille et gardés au réfrigérateur. La sauce peut être préparée 3 heures avant le repas. Une fois que les légumes ont été mélangés avec la sauce, il est recommandé de servir la salade dans les deux heures qui suivent.*

INFORMATION NUTRITIONNELLE PAR PORTION (environ 135 g/¾ de tasse) : Calories : 60 | Glucides : 8 g (Sucres : 4 g) | Gras total : 4 g (0,5 g sat.) | Protéines : 2 g | Fibres : 2 g | Cholestérol : 5 mg | Sodium : 240 mg | Équivalences alimentaires : 1 Légume, 1 Gras | Choix de glucides : ½ | Valeur PointsPlus Weight Watchers : 2

Salade de fines herbes

La sauce verte est aussi tout indiquée comme sauce à tremper. Pour la servir avec des crudités, n'utilisez que la moitié de la quantité de lait indiquée dans la recette. Si vous manquez de ciboulette, remplacez-la par des oignons verts.

Sauce verte

60 g (¼ de tasse) de mayonnaise allégée

60 g (¼ de tasse) de yogourt nature pauvre en matière grasse

80 ml (⅓ de tasse) de lait 1 %

15 g (¼ de tasse) de persil frais, haché

2 c. à soupe de ciboulette fraîche, hachée

¼ de c. à thé (à café) d'estragon séché

1 c. à soupe de vinaigre de cidre ou de vinaigre de vin blanc

¼ de c. à thé (à café) de poudre d'ail

1 pincée de poivre du moulin

1 pincée de sel

½ c. à thé (à café) de pâte d'anchois (facultatif)

Salade

3 carottes

6 radis

1 grosse laitue, déchiquetée

1. **Sauce verte :** à l'aide du mélangeur, mixer rapidement tous les ingrédients jusqu'à consistance lisse et réserver. (On peut aussi préparer la sauce dans un bol creux à l'aide du pied-mélangeur/mixeur-plongeur.)

2. **Salade :** peler les carottes et couper les bouts. À l'aide d'un couteau-éplucheur, faire de minces rubans. Réserver dans un bol d'eau glacée. Couper les radis en tranches et les mettre dans le même bol.

3. Au moment de servir, égoutter les carottes et les radis. Répartir la laitue dans les assiettes. Ajouter 4 ou 5 rubans de carotte et 4 ou 5 tranches de radis dans chacune. Napper chaque portion avec 2 c. à soupe de sauce.

Variante : *On peut augmenter la valeur nutritive de cette salade en y ajoutant des crevettes ou du crabe, des asperges et des quartiers d'œufs et de tomates.*

INFORMATION NUTRITIONNELLE PAR PORTION : Calories : 60 | Glucides : 7 g (Sucres : 4 g) | Gras total : 3 g (0 g sat.) | Protéines : 3 g | Fibres : 2 g | Cholestérol : 5 mg | Sodium : 210 mg | Équivalences alimentaires : 1 Légume, ½ Gras | Choix de glucides : 1 | Valeur PointsPlus Weight Watchers : 1

Salade d'épinards au bacon

Qui peut résister à cette salade d'épinards au bacon qui ne contient que 75 calories par portion? Pour la transformer en repas principal pour deux personnes, ajoutez-y 100 g (3 ½ oz) de poulet, de crevettes grillées ou de lamelles de bifteck.

4 PORTIONS

3 tranches de bacon maigre

40 g (¼ de tasse) d'oignon rouge, en dés

3 c. à soupe de vinaigre de cidre

4 c. à soupe d'eau

1 c. à soupe de sucre

¼ de c. à thé (à café) d'arôme de fumée liquide

1 pincée de sel

1 pincée de poivre du moulin

1 c. à thé (à café) de fécule de maïs

120 g (1 ½ tasse) de champignons, en tranches

320 à 400 g (8 à 10 tasses) d'épinards

80 g (½ tasse) d'oignons rouges, en tranches fines

Poivre du moulin (facultatif)

1. Dans un plat à sauter antiadhésif moyen, cuire le bacon à feu moyen jusqu'à ce qu'il devienne croustillant. Réserver dans une assiette tapissée de papier absorbant.

2. Dans le même plat à sauter, faire revenir l'oignon en dés de 3 à 4 minutes. Ajouter le vinaigre, 3 c. à soupe d'eau, le sucre, l'arôme de fumée liquide, le sel et le poivre. Déglacer à l'aide d'une spatule et porter à faible ébullition. Dans un petit bol, mélanger la fécule de maïs et 1 c. à soupe d'eau. Verser dans le plat à sauter et cuire jusqu'à épaississement sans cesser de remuer. Ajouter les champignons et faire sauter de 1 à 2 minutes.

3. Dans un grand bol, mélanger les épinards et les tranches d'oignon. Arroser avec la vinaigrette chaude et remuer délicatement. Garnir de bacon, poivrer au goût et servir aussitôt.

INFORMATION NUTRITIONNELLE PAR PORTION (environ 270 g/1 ½ tasse) : Calories: 75 | Glucides: 9 g (Sucres: 5 g) | Gras total: 1,5 g (1 g sat.) | Protéines: 3 g | Fibres: 2 g | Cholestérol: 5 mg | Sodium: 105 mg | Équivalences alimentaires: 1 Légume | Choix de glucides: ½ | Valeur PointsPlus Weight Watchers: 1

Salade de pommes de terre au basilic

Le maïs, les courgettes et le basilic donnent un air d'été à cette salade délicatement rehaussée de moutarde de Dijon.

Salade

720 g (4 ½ tasses) de pommes de terre rouges, en morceaux de 5 cm (2 po)

1 ½ c. à thé (à café) d'huile d'olive

2 courgettes moyennes, coupées sur la longueur, puis en demi-lunes

1 petit oignon rouge, en tranches

90 g (½ tasse) de maïs frais ou décongelé

200 g (1 tasse) de tomates cerises, coupées en deux

70 g (½ tasse) de céleri, haché

Vinaigrette

2 c. à soupe de moutarde de Dijon

2 c. à soupe de vinaigre de cidre

1 c. à soupe d'huile d'olive

2 c. à soupe de basilic frais, haché

¾ de c. à thé (à café) de sel épicé (ou plus, au goût)

½ c. à thé (à café) de poivre du moulin

1. **Salade :** préchauffer le four à 220 °C/425 °F/gaz 7. Vaporiser une plaque à pâtisserie d'enduit végétal.

2. Dans un bol moyen, mélanger les pommes de terre et 1 c. à thé (à café) d'huile. Ranger les pommes de terre sur une seule couche sur la plaque à pâtisserie et vaporiser légèrement d'enduit végétal. Cuire au four pendant 10 minutes, remuer et cuire 10 minutes de plus.

3. Entre-temps, mettre les courgettes et l'oignon dans le même bol et mélanger avec le reste de l'huile. Après 20 minutes de cuisson, retirer les pommes de terre du four, remuer et entasser d'un côté de la plaque. Ajouter les courgettes, l'oignon et le maïs. Cuire au four de 10 à 15 minutes ou jusqu'à ce que les pommes de terre soient tendres. Laisser refroidir un peu à température ambiante.

4. **Vinaigrette :** dans un petit bol, à l'aide d'un fouet, mélanger tous les ingrédients qui composent la vinaigrette. Mettre les légumes cuits dans un grand bol avec les tomates et le céleri. Verser la vinaigrette et mélanger. Servir aussitôt ou réfrigérer pour donner le temps aux saveurs de bien se mélanger.

INFORMATION NUTRITIONNELLE PAR PORTION (180 g/1 tasse) : Calories : 160 | Glucides : 26 g (Sucres : 4 g) | Gras total : 6 g (0 g sat.) | Protéines : 3 g | Fibres : 3 g | Cholestérol : 0 mg | Sodium : 310 mg | Équivalences alimentaires : 1 Féculent, 1 Légume, 1 Gras | Choix de glucides : 1 ½ | Valeur PointsPlus Weight Watchers : 5

Salade de tomates et de maïs

Un arc-en-ciel de couleurs, de textures et de saveurs dans votre assiette ! Servez cette salade chaude ou froide ou comme plat d'accompagnement avec le bifteck, le poulet ou les fruits de mer grillés.

8 PORTIONS

Vinaigrette

60 ml (¼ de tasse) de vinaigre de vin blanc

2 c. à soupe d'eau

3 c. à soupe d'huile d'olive

1 c. à thé (à café) de moutarde de Dijon

2 c. à soupe de sucre ou d'édulcorant sans calories en granulés

1 gousse d'ail, hachée finement

¼ de c. à thé (à café) de sel épicé

1 pincée de poivre du moulin

Salade

450 g (2 ½ tasses) de maïs décongelé ou les grains de 5 épis de maïs

1 courgette moyenne, en dés

½ petit oignon rouge, en dés

½ poivron rouge, en dés

2 tomates italiennes moyennes, épépinées et coupées en dés

1. **Vinaigrette :** dans un petit bol, à l'aide d'un fouet, mélanger tous les ingrédients.

2. **Salade :** dans un grand bol, mélanger tous les légumes, sauf les tomates. Verser la vinaigrette et remuer délicatement. Ajouter les tomates et remuer doucement. Réfrigérer pendant 30 minutes pour donner le temps aux saveurs de bien se mélanger. Cette salade se conserve de 2 à 3 jours au froid.

Variante : *Pour augmenter la valeur nutritive de cette salade, remplacer la moitié du maïs par 250 g (1 ¼ tasse) d'edamames cuits et écossés. Ajouter 3 g de protéines, 1 g de fibres et 20 calories.*

INFORMATION NUTRITIONNELLE PAR PORTION (120 g/⅔ de tasse) : Calories : 80 | Glucides : 12 g (Sucres : 7 g) | Gras total : 3 g (1 g sat.) | Protéines : 2 g | Fibres : 2 g | Cholestérol : 0 mg | Sodium : 40 mg | Équivalences alimentaires : ½ Féculent, 1 Légume | Choix de glucides : 1 | Valeur PointsPlus Weight Watchers : 2

Salade de poulet et de pois chiches au salami

Cette recette ne contient que 330 calories par portion même si elle est préparée avec du salami, du poulet, des pois chiches, de la mozzarella, du parmesan, des tomates, de la laitue romaine et une excellente vinaigrette. Qui dit mieux ?

4 PORTIONS

Vinaigrette

2 c. à soupe de moutarde de Dijon

2 c. à soupe de vinaigre de vin rouge

2 c. à soupe d'huile d'olive extra-vierge

3 c. à soupe de parmesan, râpé

½ c. à thé (à café) d'origan séché

1 gousse d'ail, hachée finement

1 pincée de sel

2 c. à soupe d'eau

Salade

200 g (1 tasse) de pois chiches en conserve, rincés et égouttés

320 g (2 tasses) de poulet ou de dinde sans peau, cuit et haché

40 g (¼ de tasse) de salami allégé (environ 6 grandes tranches)

90 g (¾ de tasse) de mozzarella partiellement écrémée, râpée

2 tomates moyennes, épépinées et coupées en dés

240 g (4 tasses) de laitue romaine, hachée

15 g (¼ de tasse) de basilic, ciselé

1. **Vinaigrette :** mettre tous les ingrédients dans un bol moyen. Mélanger à l'aide d'un fouet ou secouer vigoureusement dans un bocal bien couvert.

2. **Salade :** dans un grand bol, mettre les pois chiches, le poulet, le salami et la mozzarella. Verser la moitié de la vinaigrette et remuer délicatement. Ajouter les tomates, la laitue et le basilic. Verser le reste de la vinaigrette et remuer.

INFORMATION NUTRITIONNELLE PAR PORTION (environ 270 g/1 ½ de tasse) : Calories : 330 | Glucides : 15 g (Sucres : 2 g) | Gras total : 16 g (4 g sat.) | Protéines : 31 g | Fibres : 5 g | Cholestérol : 80 mg | Sodium : 810 mg | Équivalences alimentaires : 4 Viande maigre, 1 Féculent, 2 Gras | Choix de glucides : 1 | Valeur PointsPlus Weight Watchers : 8

Salade de poulet aux pommes et aux noix, vinaigrette aux framboises

L'ajout de fruits et de noix donne toujours d'excellentes salades. Ces ingrédients remplacent brillamment le fromage et le bacon dans cette recette santé.

4 PORTIONS

Vinaigrette

3 c. à soupe de vinaigre de riz

1 ½ c. à soupe d'huile d'olive

4 c. à soupe de confiture de framboises sans sucre

2 c. à thé (à café) de moutarde de Dijon

1 c. à soupe de jus de lime (citron vert)

1 pincée de poivre du moulin

1 pincée de sel

Salade

480 g (8 tasses) de laitue, hachée

1 grosse pomme sucrée et acide (ex. : Fuji), évidée et coupée en tranches

½ petit oignon rouge, en tranches fines

320 g (2 tasses) de poitrines (blancs) de poulet sans peau, cuites et coupées en petits morceaux

2 c. à soupe de canneberges (airelles) séchées

30 g (¼ de tasse) de noix de Grenoble, hachées

1. **Vinaigrette :** dans un petit bol, à l'aide d'un fouet, mélanger vigoureusement tous les ingrédients.

2. **Salade :** dans un grand bol, mélanger la laitue, la pomme et l'oignon. Verser la vinaigrette et remuer délicatement. Ajouter le poulet et mélanger doucement.

3. Répartir la salade dans les assiettes et garnir de canneberges et de noix.

INFORMATION NUTRITIONNELLE PAR PORTION : Calories : 230 | Glucides : 16 g (Sucres : 5 g) | Gras total : 12 g (1 g sat.) | Protéines : 19 g | Fibres : 3 g | Cholestérol : 45 mg | Sodium : 170 mg | Équivalences alimentaires : 3 Viande maigre, 1 Légume, 1 Gras, ½ Fruit | Choix de glucides : 1 | Valeur PointsPlus Weight Watchers : 6

Salade de bœuf haché au poivron rouge

Régalez-vous sans éprouver la moindre culpabilité en utilisant de bons légumes frais et de la viande maigre. La sauce à la coriandre est extrêmement savoureuse.

Sauce

80 g (⅓ de tasse) de crème sure ou aigre allégée

80 g (⅓ de tasse) de yogourt nature pauvre en matière grasse

30 g (½ tasse) de coriandre fraîche, hachée

2 c. à soupe de jus de lime (citron vert)

1 pincée de sel à l'ail

Salade

1 poivron rouge moyen, en dés

375 g (12 oz) de bœuf haché maigre

½ c. à thé (à café) d'assaisonnement au chili

180 ml (¾ de tasse) de salsa

360 g (6 tasses) de laitue romaine, hachée

2 oignons verts, en tranches

90 g (¾ de tasse) de mélange de fromages râpés à la mexicaine pauvres en matière grasse

2 tomates moyennes, en quartiers

Lanières de tortillas pauvres en matière grasse (facultatif)

1. **Sauce :** à l'aide du mélangeur, mixer tous les ingrédients jusqu'à consistance lisse et réserver.

2. **Salade :** vaporiser une grande poêle antiadhésive d'enduit végétal. À feu moyen, faire sauter le poivron de 3 à 4 minutes. Ajouter le bœuf haché et l'assaisonnement au chili et faire sauter de 5 à 6 minutes ou jusqu'à ce que la viande ne soit plus rosée. Ajouter la salsa et cuire pendant 1 minute. Retirer du feu.

3. Mettre 90 g (1 ½ tasse) de laitue dans chacune des assiettes. Répartir la viande sur la laitue. Ajouter les oignons verts et le fromage et napper avec 3 c. à soupe de la sauce réservée. Garnir de tomates et de lanières de tortillas au goût.

INFORMATION NUTRITIONNELLE PAR PORTION : Calories : 280 | Glucides : 11 g (Sucres : 6 g) | Gras total : 14 g (7 g sat.) | Protéines : 27 g | Fibres : 3 g | Cholestérol : 45 mg | Sodium : 460 mg | Équivalences alimentaires : 3 Viande maigre | Choix de glucides : ½ | Valeur PointsPlus Weight Watchers : 7

Salade d'épinards protéinée

Si vous n'aimez pas les épinards, remplacez-les par de la laitue romaine. Pour ajouter des protéines à la salade, mettez-y du saumon ou 1 c. à soupe d'amandes. La vinaigrette sucrée et acidulée est la vedette principale de cette recette.

2 PORTIONS

Vinaigrette

2 c. à soupe de vinaigre de riz

4 c. à thé (à café) d'édulcorant sans calories en granulés

1 c. à soupe de sauce soja pauvre en sodium

1 c. à soupe d'huile de sésame

½ c. à thé (à café) de gingembre, râpé

½ c. à thé (à café) de moutarde de Dijon

Salade

120 g (3 tasses) d'épinards ou de laitue romaine, hachés

80 g (1 tasse) de mange-tout (pois gourmands) ou de pois sucrés

80 g (½ tasse) de carottes, râpées

40 g (¼ de tasse) d'oignon rouge, en tranches fines

½ petite pomme sucrée et acide (ex. : Fuji), en cubes moyens

250 g (8 oz) de poulet, de saumon ou de crevettes, grillés

1. **Vinaigrette :** dans un petit bol, à l'aide d'un fouet, mélanger tous les ingrédients.

2. **Salade :** dans un bol moyen, mélanger les épinards, les pois, les carottes, l'oignon et la pomme. Verser la vinaigrette et remuer délicatement.

3. Répartir la salade dans les assiettes et garnir chaque portion avec 125 g (4 oz) de poulet, de saumon ou de crevettes.

INFORMATION NUTRITIONNELLE PAR PORTION (1 salade avec poulet) : Calories : 250 | Glucides : 14 g (Sucres : 0 g) | Gras total : 10 g (1 g sat.) | Protéines : 27 g | Fibres : 4 g | Cholestérol : 10 mg | Sodium : 470 mg | Équivalences alimentaires : 3 Viande maigre, 2 Légumes, 1 Gras | Choix de glucides : 1 | Valeur PointsPlus Weight Watchers : 6

Plats cuisinés à la mijoteuse

LES PLATS CUISINÉS À LA MIJOTEUSE

Cuisiner à l'aide de la mijoteuse est facile et exige peu d'effort. Il suffit de mettre quelques bons ingrédients dans la cocotte en céramique et, à la fin de la journée, on peut savourer un repas extraordinaire. Voici quelques conseils qui vous aideront à obtenir de meilleurs résultats avec votre appareil.

- **La mijoteuse utilise la chaleur humide** pour cuire les aliments à très basses températures. Les aliments qui requièrent une cuisson rapide à feu vif (bifteck, frites, etc.) ne conviennent pas à ce type de cuisson.

- **Réduisez la quantité de liquide.** Les recettes cuites à la mijoteuse requièrent deux fois moins de liquide que les autres. Les sauces trop claires et les jus de cuisson peuvent être liés avec de la fécule de maïs ou de la farine en fin de cuisson.

- **La cuisson à température élevée est généralement deux fois plus rapide que la cuisson à basse température.** Pour plusieurs recettes, dont les soupes et les sauces, le choix vous revient. Les viandes moins tendres gagnent à être cuites à basse température tandis que les desserts profitent bien de la température élevée. Il est toujours préférable de suivre les indications de la recette.

- **Les produits surgelés et en conserve** sont parfois utiles, mais il n'y a rien de tel qu'un bon produit frais, car la cuisson lente saura mettre en valeur son goût et sa fraîcheur.

- **Apprenez à connaître votre appareil.** Si vous essayez une recette pour la toute première fois, vérifiez-la à mi-cuisson, car les mijoteuses n'ont pas toute la même puissance. Le réglage à basse température d'un appareil peut correspondre à la température élevée d'une autre mijoteuse! Évitez d'ouvrir le couvercle trop souvent afin de ne pas prolonger inutilement le temps de cuisson.

- **Remplissez la cocotte à moitié ou aux trois quarts,** pas davantage. Une mijoteuse moyenne a une capacité de 3 à 4,5 litres (12 à 18 tasses) tandis qu'une grosse peut contenir de 5 à 7 litres (20 à 28 tasses). La plupart des appareils ont une capacité de 4 à 6 litres (16 à 24 tasses). Les recettes de ce livre ont été testées avec une mijoteuse de 6 litres (24 tasses).

- **Les oignons, les aromates, les fines herbes et les épices** donnent beaucoup de goût aux aliments cuits à la mijoteuse. La cuisson lente pouvant transformer les saveurs, je double souvent la quantité d'épices quand j'utilise mon appareil.

- **Pour préparer une recette de plat mijoté sur votre cuisinière,** rappelez-vous que 1 heure de cuisson sur la cuisinière équivaut à environ 6 heures de cuisson à la mijoteuse à basse température ou à 3 heures à température élevée.

Chili vert au poulet

L'ajout de semoule de maïs en fin de cuisson permet de donner rapidement une texture plus consistante à ce chili.

1 kg (2 ¼ lb) de cuisses de poulet désossées et sans peau, en morceaux de 2,5 cm (1 po) (retirer le gras visible)

1 oignon moyen, en dés

2 gousses d'ail, hachées finement

250 ml (1 tasse) d'eau

375 ml (1 ½ tasse) de salsa verde du commerce

40 g (1 tasse) de piments verts en conserve, en dés

400 g (2 tasses) de haricots blancs en conserve pauvres en sodium, rincés et égouttés

4 c. à thé (à café) d'assaisonnement au chili

1 c. à thé (à café) de cumin moulu

¼ de c. à thé (à café) de sel (ou au goût)

1 c. à soupe de semoule de maïs

1. Chauffer une mijoteuse de 4 à 6 litres (16 à 24 tasses) à température élevée pendant 5 minutes. Mettre les neuf premiers ingrédients (du poulet jusqu'au cumin) dans la cocotte de la mijoteuse et mélanger.

2. Couvrir et cuire à basse température de 6 à 8 heures ou à température élevée de 3 à 4 heures.

3. Retirer le couvercle et effilocher le poulet à l'aide de deux fourchettes. Ajouter le sel et la semoule de maïs et laisser reposer pendant 5 minutes ou jusqu'à ce que la préparation ait la consistance voulue. Remuer et servir aussitôt.

Conseil : *Pour avoir une saveur mexicaine authentique, remplacez l'eau par 250 ml (1 tasse) de votre bière préférée. Ce poulet est aussi délicieux pour garnir les tacos, les enchiladas ou les burritos.*

INFORMATION NUTRITIONNELLE PAR PORTION (180 g/1 tasse) : Calories : 240 | Glucides : 16 g (Sucres : 4 g) | Gras total : 5 g (1,5 g sat.) | Protéines : 29 g | Fibres : 3 g | Cholestérol : 105 mg | Sodium : 630 mg | Équivalences alimentaires : 4 Viande maigre, 1 Féculent | Choix de glucides : 1 | Valeur PointsPlus Weight Watchers : 5

Porc barbecue effiloché

Ce porc effiloché est cuit à la perfection. La cuisson à la mijoteuse donne une viande tendre et juteuse qui se défait facilement à la fourchette. Procurez-vous des filets de porc très maigres afin de ne pas consommer trop de gras inutilement.

10 PORTIONS

1,2 kg (2 ½ lb) de filets de porc, parés

1 oignon moyen, haché finement

2 gousses d'ail moyennes, hachées

375 ml (1 ½ tasse) de cola hypocalorique

180 ml (¾ de tasse) de ketchup pauvre en sucre

3 c. à soupe de pâte de tomates

2 c. à soupe de vinaigre

2 c. à soupe de mélasse

2 c. à soupe de sauce Worcestershire

1 ½ c. à thé (à café) de paprika

1 c. à thé (à café) de moutarde sèche

¼ de c. à thé (à café) de poivre du moulin

1. Mettre la viande dans la cocotte d'une mijoteuse de 4 à 6 litres (16 à 24 tasses). Ajouter l'oignon, l'ail et 125 ml (½ tasse) de cola. Couvrir et cuire à basse température de 6 à 8 heures ou à température élevée de 3 à 3 ½ heures, jusqu'à ce que la viande se défasse facilement à la fourchette.

2. Dans une petite casserole, verser le reste du cola et ajouter tous les autres ingrédients. Mélanger à l'aide d'un fouet et cuire à feu moyen de 10 à 15 minutes ou jusqu'à réduction du tiers (il ne doit rester que 375 ml/1 ½ tasse de liquide). Réserver.

3. Sur une planche à découper, effilocher la viande à l'aide de deux fourchettes et réserver. Filtrer les jus de cuisson et n'en réserver que 125 ml (½ tasse). Remettre la viande et les jus de cuisson dans la cocotte.

4. Réchauffer la sauce barbecue faite à l'étape 2 au besoin et verser sur la viande. Remuer délicatement et servir sur des petits pains au choix.

INFORMATION NUTRITIONNELLE PAR PORTION (80 g/½ tasse de porc effiloché) : Calories : 170 | Glucides : 11 g (Sucres : 5 g) | Gras total : 3,5 g (1 g sat.) | Protéines : 22 g | Fibres : 1 g | Cholestérol : 65 mg | Sodium : 310 mg | Équivalences alimentaires : 2 ½ Viande maigre, 1 Glucide | Choix de glucides : 1 | Valeur PointsPlus Weight Watchers : 4

Poulet de base

Cette recette de base très utile vous facilitera la tâche au moment de préparer les recettes qui demandent du poulet cuit haché ou effiloché. Voici quelques idées : soupe au poulet et aux champignons (page 77) et salade de poulet et de pois chiches au salami (page 105).

DONNE ENVIRON **1 LITRE (4 TASSES)**

4 poitrines (blancs) de poulet désossées et sans peau fraîches ou surgelées de 250 g (8 oz) chacune

250 ml (1 tasse) d'eau

1. Mettre le poulet et l'eau dans la cocotte de la mijoteuse. Couvrir et cuire à basse température de 6 à 8 heures ou à température élevée de 3 à 4 heures, jusqu'à ce qu'il soit tendre et que le centre ne soit plus rosé (le poulet surgelé nécessite une cuisson plus longue).

2. Effilocher le poulet à l'aide de deux fourchettes tandis qu'il est encore chaud. (On peut aussi le couper en cubes.) Laisser refroidir dans un contenant hermétique, puis réfrigérer jusqu'au moment d'utiliser.

Variante : *Pour ajouter du piquant à la recette, incorporer 250 à 375 ml (1 à 1 ½ tasse) de salsa et ½ c. à thé (à café) de cumin. Effilocher la volaille et l'utiliser pour garnir des tacos, des burritos, des tostadas ou des quésadillas.*

INFORMATION NUTRITIONNELLE PAR PORTION (80 g/½ tasse) : Calories : 130 | Glucides : 0 g (Sucres : 0 g) | Gras total : 3 g (0 g sat.) | Protéines : 24 g | Fibres : 0 g | Cholestérol : 70 mg | Sodium : 120 mg | Équivalences alimentaires : 3 ½ Viande maigre | Choix de glucides : 0 | Valeur PointsPlus Weight Watchers : 3

Sauce marinara de base

Cette sauce vous sera utile pour toutes les recettes de ce livre demandant de la sauce marinara. Elle est si succulente qu'on pourrait croire qu'elle a été concoctée par une grand-maman italienne. De plus, elle permet de faire de bonnes économies et elle se congèle très facilement.

DONNE **1,5 LITRE (6 TASSES)**

1 oignon blanc moyen, haché

1 c. à soupe d'huile d'olive

3 gousses d'ail, hachées finement

270 g (1 ⅓ tasse) de tomates broyées en conserve

250 ml (1 tasse) de sauce tomate

180 ml (¾ de tasse) de pâte de tomates

125 ml (½ tasse) de vin rouge sec ou de bouillon de bœuf pauvre en sodium

250 ml (1 tasse) d'eau (ou plus au besoin)

2 c. à thé (à café) de sucre

1 c. à soupe de feuilles de basilic séché

1 c. à soupe de feuilles d'origan séché

Sucre (facultatif)

1. Dans un bol moyen convenant au micro-ondes, mélanger l'oignon et l'huile. Couvrir et cuire à puissance maximale pendant 3 minutes. Remuer et cuire 2 minutes de plus ou jusqu'à ce que l'oignon soit tendre et presque translucide.

2. Dans la cocotte d'une mijoteuse de 4 à 6 litres (16 à 24 tasses), mélanger l'oignon avec le reste des ingrédients, sauf le sucre.

3. Couvrir et cuire à basse température de 6 à 8 heures ou à température élevée de 3 à 4 heures. Au besoin, ajouter de l'eau pour allonger la sauce. Ajouter un peu de sucre au goût selon la saveur et la consistance voulues.

Conseil : *Les sauces marinara du commerce n'ont pas toutes le même goût ni la même valeur nutritionnelle. Optez pour une marque contenant moins de 70 calories, 400 mg de sodium, 5 g de sucre et 3 g de gras par 125 ml (½ tasse).*

INFORMATION NUTRITIONNELLE PAR PORTION (125 ml/½ tasse) : Calories : 60 | Glucides : 11 g (Sucres : 4 g) | Gras total : 1 g (0 g sat.) | Protéines : 2 g | Fibres : 2 g | Cholestérol : 0 mg | Sodium : 230 mg | Équivalences alimentaires : 1 ½ Légume | Choix de glucides : ½ | Valeur PointsPlus Weight Watchers : 1

Lasagne du paresseux

Il ne faut surtout pas craindre d'utiliser la mijoteuse pour préparer une lasagne, car les pâtes sèches y cuisent sans difficulté. Si vous avez le temps de concocter votre propre sauce marinara, vous ne le regretterez pas !

6 PORTIONS

320 g (2 tasses) de ricotta pauvre en matière grasse

375 g (1 ½ tasse) de cottage pauvre en matière grasse

2 c. à soupe et 125 ml (½ tasse) d'eau

6 c. à soupe de parmesan, râpé

¾ de c. à thé (à café) d'origan séché

Environ 750 ml (3 tasses) de sauce marinara de base (page 117) ou du commerce

7 ou 8 pâtes à lasagne (pâtes sèches)

80 g (⅔ de tasse) de mozzarella partiellement écrémée, râpée

1. Dans un bol moyen, bien mélanger la ricotta, le cottage, 2 c. à soupe d'eau, 25 g (¼ de tasse) de parmesan et ½ c. à thé (à café) d'origan.

2. Verser la sauce marinara dans un bol moyen ou une grande tasse à mesurer (verre gradué). Verser 125 ml (½ tasse) d'eau dans le contenant vide de la sauce marinara, secouer vigoureusement et verser dans la sauce (omettre cette étape si la sauce est déjà très liquide). Étaler 125 ml (½ tasse) de sauce au fond de la cocotte d'une mijoteuse de 4 à 6 litres (16 à 24 tasses).

3. Étaler le tiers des pâtes à lasagne sur la sauce (briser les pâtes au besoin pour qu'elles rentrent bien dans la cocotte). Couvrir avec la moitié de la préparation de fromages et 250 ml (1 tasse) de sauce. Répéter cette étape.

4. Couvrir avec le reste des pâtes et de la sauce. Ajouter la mozzarella, le reste de l'origan et du parmesan. Cuire à basse température de 3 à 3 ½ heures ou jusqu'à ce que la lasagne soit tendre sous la fourchette. Éteindre la mijoteuse et laisser reposer la lasagne pendant au moins 15 minutes avant de servir.

Variante : Lasagne à la viande : *faire revenir 250 g (8 oz) de bœuf haché maigre avec ½ c. à thé (à café) de poudre d'ail et 1 c. à thé (à café) de graines de fenouil broyées. Après avoir étalé 125 ml (½ tasse) de la sauce marinara dans la cocotte, mélanger la viande avec le reste de la sauce et poursuivre la recette. Ajouter 55 calories et 2 g de gras.*

INFORMATION NUTRITIONNELLE PAR PORTION (le sixième de la lasagne) : Calories : 320 | Glucides : 35 g (Sucres : 12 g) | Gras total : 8 g (7 g sat.) | Protéines : 24 g | Fibres : 2 g | Cholestérol : 35 mg | Sodium : 690 mg | Équivalences alimentaires : 3 Viande maigre, 2 Glucides, ½ Gras | Choix de glucides : 2 | Valeur PointsPlus Weight Watchers : 8

Ragoût de bœuf aux légumes

Le bœuf en cubes devient très tendre grâce à la cuisson lente à la mijoteuse. Servez ce ragoût avec des haricots verts et une belle salade verte.

750 g (1 ½ lb) de petites pommes de terre blanches ou rouges, pelées et coupées en deux

500 g (4 tasses) de carottes, coupées en biais en morceaux de 3 cm (¾ de po)

1,2 kg (2 ½ lb) de bœuf maigre en cubes (retirer le gras visible)

1 oignon moyen, haché

180 ml (¾ de tasse) de pâte de tomates

500 ml (2 tasses) et 1 c. à soupe d'eau

2 c. à soupe de cassonade ou de sucre roux

2 c. à soupe de sauce Worcestershire

2 c. à soupe de vinaigre de cidre

½ c. à thé (à café) de sel ou de sel de céleri

¼ de c. à thé (à café) de poivre du moulin

1 c. à soupe de fécule de maïs

1. Mettre les pommes de terre et les carottes dans la cocotte d'une mijoteuse de 5 à 7 litres (20 à 28 tasses). Couvrir avec les cubes de bœuf et l'oignon.

2. Dans un petit bol, à l'aide d'un fouet, mélanger la pâte de tomates, l'eau, la cassonade, la sauce Worcestershire, le vinaigre, le sel et le poivre. Verser dans la cocotte. Couvrir et cuire à basse température de 8 à 9 heures ou à température élevée de 4 à 5 heures, jusqu'à ce que la viande soit tendre sous la fourchette.

3. Dans un petit bol, à l'aide d'un fouet, mélanger la fécule de maïs et 1 c. à soupe d'eau. À l'aide d'une cuillère à égoutter, pousser la viande et les légumes d'un côté de la cocotte, puis mélanger la fécule diluée avec le liquide chaud. Couvrir et cuire à température élevée pendant 10 minutes ou jusqu'à ce que la sauce épaississe légèrement.

Conseil : *Ce ragoût regorge de potassium bon pour le cœur. Des études ont démontré que le potassium pouvait contrer les effets négatifs du sel dans notre alimentation et contribuer à diminuer la pression artérielle.*

INFORMATION NUTRITIONNELLE PAR PORTION (200 g/1 grande tasse) : Calories : 340 | Glucides : 33 g (Sucres : 10 g) | Gras total : 10 g (3,5 g sat.) | Protéines : 30 g | Fibres : 5 g | Cholestérol : 90 mg | Sodium : 490 mg | Équivalences alimentaires : 3 ½ Viande maigre, 2 Légumes, 1 Féculent, ½ Gras | Choix de glucides : 2 | Valeur PointsPlus Weight Watchers : 9

Ratatouille vite faite

Servie chaude ou froide, la ratatouille accompagne n'importe quel plat avec élégance. Prenez soin de ne pas la faire cuire trop longtemps. Les légumes doivent être cuits sans perdre leur forme. Pour faire une entrée végétarienne, doublez la portion et garnissez-la avec 1 ou 2 c. à soupe de féta pauvre en matière grasse. La couleur des poivrons n'a pas d'importance. Si vous avez une mijoteuse de 4 litres (16 tasses), il est préférable de couper la recette en deux.

8 PORTIONS

1 grosse aubergine, en cubes de 2,5 cm (1 po)

3 courgettes moyennes, en tranches de 1 cm (½ po)

2 courges jaunes moyennes, en tranches de 1 cm (½ po)

1 gros oignon, coupé en deux sur la longueur, puis en tranches de 5 mm (¼ de po)

2 gros poivrons, en morceaux de 2,5 cm (1 po)

3 gousses d'ail, hachées finement

2 c. à soupe d'huile d'olive

3 brins de thym frais ou 1 c. à thé (à café) de thym séché

30 g (½ tasse) de persil plat frais, haché

340 g (1 ⅔ tasse) de tomates en dés en conserve non égouttées

3 c. à soupe de pâte de tomates

60 ml (¼ de tasse) de vin blanc sec

½ c. à thé (à café) de sel

½ c. à thé (à café) de poivre du moulin

Basilic frais, haché (facultatif)

1. Mélanger tous les ingrédients dans une mijoteuse de 6 litres (24 tasses).

2. Cuire à température élevée de 3 ½ à 4 heures en remuant toutes les heures.

3. Servir la ratatouille chaude ou froide et garnir de basilic au goût.

Conseil : *Pour donner une touche italienne à cette ratatouille, remplacez la moitié du thym par 1 c. à thé (à café) d'origan séché. Servez-la avec du parmesan ou du romano râpé.*

INFORMATION NUTRITIONNELLE PAR PORTION (50 g/¼ de tasse) : Calories : 90 | Glucides : 16 g (Sucres : 8 g) | Gras total : 3 g (0,5 g sat.) | Protéines : 3 g | Fibres : 5 g | Cholestérol : 0 mg | Sodium : 240 mg | Équivalences alimentaires : 2 ½ Légumes | Choix de glucides : 1 | Valeur PointsPlus Weight Watchers : 2

Fèves au lard au sirop d'érable

Cette recette très nutritive contient deux fois moins de sucre et beaucoup plus de saveur que les fèves au lard en conserve. Si vous êtes pressé, prenez des petits haricots blancs en conserve, mais l'utilisation de haricots secs est toutefois plus économique.

1,75 litre (7 tasses) de petits haricots blancs en conserve ou 1 sac de 500 g (1 lb) de petits haricots blancs secs mis à tremper toute la nuit

1 gros oignon, haché

125 ml (½ tasse) de sauce tomate

125 ml (½ tasse) de sirop d'érable

16 g (⅔ de tasse) d'édulcorant sans calories en granulés

3 c. à soupe de mélasse

2 c. à soupe de vinaigre de cidre

2 c. à thé (à café) de moutarde sèche

¾ de c. à thé (à café) de sel

½ c. à thé (à café) de gingembre moulu

½ c. à thé (à café) d'arôme de fumée liquide

500 ml (2 tasses) d'eau chaude (facultatif)

1. Rincer et égoutter les haricots, puis les mettre dans la cocotte d'une mijoteuse de 4 à 6 litres (16 à 24 tasses). Ajouter tous les autres ingrédients. (Ajouter l'eau chaude si on utilise des haricots secs.)

2. Mélanger et cuire à basse température de 3 à 4 heures ou à température élevée de 1 ½ à 2 heures (remuer à mi-cuisson et ajouter de l'eau au besoin). Pour obtenir une consistance plus épaisse, retirer le couvercle au cours des 10 à 15 dernières minutes de cuisson et remuer jusqu'à l'obtention de la consistance voulue.

Conseil : *Le fait de rincer les haricots contribue à éliminer environ 40 % de leur sodium. Vous pouvez aussi remplacer la moitié des petits haricots blancs par des haricots noirs. Pour réduire la quantité de glucides, utilisez à parts égales des petits haricots blancs et des haricots de soja noirs. Chaque portion aura alors 10 calories, 5 g de protéines et 6 g de gras en plus et 12 g de glucides en moins.*

INFORMATION NUTRITIONNELLE PAR PORTION (100 g/½ tasse) : Calories : 160 | Glucides : 30 g (Sucres : 5 g) | Gras total : 1 g (0 g sat.) | Protéines : 9 g | Fibres : 9 g | Cholestérol : 0 mg | Sodium : 195 mg | Équivalences alimentaires : 1 ½ Féculent | Choix de glucides : 1 ½ | Valeur PointsPlus Weight Watchers : 3

Coupes de fromage aux petits fruits

Le bon goût du gâteau au fromage sans avoir le stress de consommer un surplus de calories inutiles ! Utilisez une cuillère à crème glacée pour modeler des boules bien rondes. Pour faire un semblant de croûte, garnissez les coupes avec des biscuits graham ou des gaufrettes à la vanille contenant peu de gras.

8 PORTIONS

240 g (1 tasse) de cottage pauvre en matière grasse

240 g (1 tasse) de fromage à la crème allégé à température ambiante

240 g (1 tasse) de fromage à la crème sans gras à température ambiante

2 c. à soupe de sucre

24 g (1 tasse) d'édulcorant sans calories en granulés

1 c. à soupe de fécule de maïs

1 ¼ c. à thé (à café) d'extrait de vanille

½ c. à thé (à café) d'extrait d'amande

2 gros œufs

2 gros blancs d'œufs

125 g (½ tasse) de crème sure ou aigre allégée

430 g (2 ⅔ tasses) de petits fruits frais, mélangés

1. Vaporiser légèrement d'enduit végétal un bol résistant à la chaleur ou un plat de cuisson pouvant entrer parfaitement dans la mijoteuse.

2. À l'aide du pied-mélangeur (mixeur-plongeur) ou du robot culinaire, réduire le cottage en purée très lisse. Verser dans un bol, ajouter les fromages à la crème et battre à l'aide du batteur électrique (mixeur) jusqu'à consistance lisse. Ajouter le sucre, l'édulcorant, la fécule de maïs et les extraits de vanille et d'amande. Battre une fois encore jusqu'à consistance lisse. À basse vitesse, ajouter les œufs, puis les blancs d'œufs, en battant rapidement après chaque addition. Incorporer la crème sure à l'aide d'une grande cuillère.

3. Verser la préparation dans le bol ou le plat de cuisson graissé, puis placer celui-ci dans la mijoteuse. Verser de l'eau dans la mijoteuse jusqu'au tiers de la hauteur du bol. Placer deux feuilles de papier absorbant sous le couvercle pour empêcher la condensation d'affecter la consistance de la préparation. Cuire à température élevée de 1 ½ à 2 heures ou jusqu'à ce que le centre de la préparation soit pris (les bords doivent être fermes, mais le centre un peu mou ; vérifier après 1 ½ heure de cuisson).

4. Éteindre la mijoteuse, couvrir à moitié et laisser reposer pendant 15 minutes. Retirer la préparation de la mijoteuse et laisser refroidir complètement à température ambiante. Réfrigérer pendant au moins 4 heures. Servir 75 g (½ tasse) de la préparation dans une coupe ou un petit bol et garnir avec 55 g (⅓ de tasse) de petits fruits. On peut aussi mettre la préparation dans un grand bol et les petits fruits dans un autre afin que les convives puissent se servir eux-mêmes.

INFORMATION NUTRITIONNELLE PAR PORTION (1 coupe) : Calories : 150 | Glucides : 12 g (Sucres : 8 g) | Gras total : 6 g (3 g sat.) | Protéines : 11 g | Fibres : 3 g | Cholestérol : 70 mg | Sodium : 280 mg | Équivalences alimentaires : 1 Viande maigre, 1 Glucide, ½ Gras | Choix de glucides : 1 | Valeur PointsPlus Weight Watchers : 3

Pâtes, pizzas et autres délices

LE FROMAGE

Un monde sans fromage serait-il vivable ? Imaginez des pizzas, des macaronis, des burgers, des quésadillas et des gâteaux au fromage… sans fromage ! Même si certains produits contiennent beaucoup de calories, de sodium et de gras, le fromage est bon pour la santé malgré tout. Il s'agit d'une bonne source de protéines, de calcium, de vitamine D et de phosphore sans oublier qu'il renforce le métabolisme. Des recherches ont démontré que le fait de consommer davantage de produits laitiers — y compris du fromage en surveillant toutefois le nombre de calories — pouvait aider à diminuer la pression artérielle et à avoir un ventre plat. Voici quelques conseils pour obtenir de bons résultats.

CONSEILS SANTÉ À PROPOS DU FROMAGE

- **Apprenez à apprécier les fromages au goût prononcé.** Les fromages vieillis ou forts comblent notre appétit sans qu'on ait besoin d'en manger une grande quantité. Qui aurait envie de se gaver de fromage bleu, de gouda fumé ou de cheddar extra-fort ?

- **Saupoudrez vos plats de parmesan.** Le parmesan râpé contient beaucoup de calcium et peu de sodium. Même s'il ne renferme que 23 calories par cuillerée à soupe, il donne beaucoup de saveur aux plats.

- **Achetez des fromages pauvres en matière grasse ou en sodium.** Ces produits sont fantastiques pour les sandwichs, les salades, les pizzas et de nombreux plats cuisinés. Les fromages à faible teneur en sel sont à la fois nourrissants et délicieux.

- **Fromages en pot.** Le cottage pauvre en matière grasse contient beaucoup de protéines et peu de gras et de calories. Réduisez-le en purée lisse avant de l'intégrer à vos recettes. Quant à la ricotta partiellement écrémée ou pauvre en matière grasse, elle est idéale pour les plats d'inspiration italienne.

- **Surveillez les quantités.** Pour éviter un surplus de calories, couvrez vos plats de fromage au lieu de mélanger celui-ci avec les autres ingrédients. Il vous sera ainsi plus facile de voir la quantité exacte que vous utilisez.

Jambalaya aux crevettes et aux poivrons

Appréciez le bon goût épicé de la jambalaya classique avec beaucoup moins de gras et de calories que la recette originale.

4 PORTIONS

180 g (6 oz) de linguines

250 g (1 ½ tasse) de poitrines (blancs) de poulet désossées et sans peau, en morceaux de 2,5 cm (1 po)

5 c. à thé (à café) d'assaisonnement à la cajun

2 c. à thé (à café) d'huile d'olive

2 poivrons rouges ou jaunes moyens, en lanières

½ oignon rouge moyen, en lanières

250 g (8 oz) de grosses crevettes crues, décortiquées et déveinées

1 gousse d'ail, hachée finement

¼ de c. à thé (à café) de poivre du moulin

200 g (1 tasse) de tomates en dés en conserve, avec leur jus

60 ml (¼ de tasse) de bouillon de poulet pauvre en sodium

2 c. à thé (à café) de beurre

2 c. à soupe de persil frais, haché

1. Cuire les pâtes en suivant les indications inscrites sur l'emballage. Égoutter et réserver.

2. Dans un bol moyen, mélanger le poulet et 1 c. à soupe d'assaisonnement à la cajun.

3. Dans une grande poêle antiadhésive, à feu moyen-vif, chauffer l'huile et faire sauter le poulet de 3 à 4 minutes ou jusqu'à ce qu'il soit cuit à moitié. Ajouter les poivrons, l'oignon et les crevettes, puis faire sauter de 1 à 2 minutes ou jusqu'à ce que les crevettes soient rosées.

4. À feu moyen, ajouter l'ail, le poivre, le reste de l'assaisonnement à la cajun, les tomates et le bouillon. Remuer doucement et cuire pendant 5 minutes ou jusqu'à ce que la cuisson du poulet et des légumes soit terminée. Incorporer le beurre dans la sauce.

5. Servir les pâtes dans un grand bol. Mélanger avec la sauce et garnir de persil.

INFORMATION NUTRITIONNELLE PAR PORTION (350 g/1 ¾ tasse) : Calories : 325 | Glucides : 38 g (Sucres : 0 g) | Gras total : 6 g (1 g sat.) | Protéines : 30 g | Fibres : 6 g | Cholestérol : 115 mg | Sodium : 810 mg | Équivalences alimentaires : 3 Viande maigre, 2 Féculents, 1 Légume | Choix de glucides : 2 ½ | Valeur PointsPlus Weight Watchers : 8

Pâtes au poulet et au parmesan

La garniture au parmesan et à la chapelure panko donne l'impression de croquer dans un bon morceau de pain au fromage.

4 PORTIONS

180 g (6 oz) de pennes sèches

2 ½ c. à thé (à café) d'huile d'olive

40 g (⅓ de tasse) de chapelure panko

50 g (½ tasse) de parmesan, râpé

400 g (2 ½ tasses) de poitrines (blancs) de poulet désossées et sans peau, en morceaux de 2,5 cm (1 po)

3 gousses d'ail, hachées finement

1 c. à thé (à café) d'origan séché

¼ de c. à thé (à café) de sel

¼ de c. à thé (à café) de poivre du moulin

1 tomate moyenne, épépinée et hachée

40 g (⅓ de tasse) de tomates séchées, en julienne

2 c. à thé (à café) de fécule de maïs

250 ml (1 tasse) de bouillon de poulet pauvre en sodium

15 g (¼ de tasse) de basilic frais, haché finement

1. Pendant la préparation de la sauce, cuire les pâtes en suivant les indications inscrites sur l'emballage. Égoutter et réserver.

2. Dans une grande poêle antiadhésive, à feu moyen, chauffer 1 c. à thé (à café) d'huile. Ajouter la chapelure et la moitié du parmesan. Faire griller de 1 à 2 minutes, en remuant sans cesse, jusqu'à ce que la chapelure soit dorée. Réserver dans un bol.

3. Verser le reste de l'huile dans la poêle et chauffer à feu moyen. Ajouter le poulet et l'ail et faire sauter de 3 à 4 minutes ou jusqu'à ce que la volaille soit presque complètement cuite. Saupoudrer d'origan, de sel et de poivre. Ajouter la tomate fraîche et les tomates séchées, puis bien mélanger.

4. Dans un petit bol, à l'aide d'un fouet, mélanger la fécule de maïs avec le bouillon. Verser dans la poêle et cuire de 1 à 2 minutes ou jusqu'à ce que la sauce épaississe et que la cuisson du poulet soit terminée. Parsemer de basilic et saupoudrer avec le reste du parmesan.

5. Servir les pâtes dans un grand bol. Verser la sauce et remuer délicatement. Saupoudrer avec la chapelure réservée et servir aussitôt.

INFORMATION NUTRITIONNELLE PAR PORTION : Calories : 340 | Glucides : 41 g (Sucres : 4 g) | Gras total : 9 g (2,5 g sat.) | Protéines : 29 g | Fibres : 5 g | Cholestérol : 60 mg | Sodium : 480 mg | Équivalences alimentaires : 3 Viande maigre, 2 ½ Féculents, 1 Légume | Choix de glucides : 2 ½ | Valeur PointsPlus Weight Watchers : 9

Nouilles sautées au poulet et aux crevettes

Le choix des nouilles vous revient, mais n'oubliez surtout pas la sauce de poisson. Ne vous privez pas d'ajouter d'autres garnitures à votre goût, comme des tranches de lime (citron vert) et de la coriandre fraîche.

150 g (5 oz) de linguines ou de nouilles de riz

2 c. à soupe de jus de lime (citron vert) frais

2 c. à soupe de sauce soja pauvre en sodium

2 c. à soupe d'édulcorant sans calories en granulés

1 ½ c. à soupe de sauce de poisson (nuoc-mâm)

1 c. à soupe de ketchup

2 c. à thé (à café) d'ail, haché finement

2 c. à thé (à café) d'huile végétale

250 g (8 oz) de poitrines (blancs) de poulet désossées et sans peau, en tranches

250 g (8 oz) de grosses crevettes, décortiquées et déveinées

1 gros œuf frais, battu

2 c. à soupe d'eau

250 g (2 ½ tasses) de germes de haricot mungo

200 g (1 ¼ tasse) de carottes, en julienne ou râpées

3 c. à soupe d'arachides, hachées

1. Cuire les linguines ou faire tremper les nouilles de riz en suivant les indications inscrites sur l'emballage. Dans un petit bol, à l'aide d'un fouet, mélanger les six ingrédients suivants (du jus de lime jusqu'à l'ail) et réserver.

2. Dans un wok ou une grande poêle antiadhésive, chauffer l'huile et faire sauter le poulet de 3 à 4 minutes ou jusqu'à ce qu'il soit cuit à moitié. Ajouter les crevettes et cuire jusqu'à ce qu'elles soient rosées. Tasser le poulet et les crevettes d'un côté du wok, ajouter l'œuf et remuer jusqu'à ce qu'il soit brouillé. Réserver dans une assiette et couvrir de papier d'aluminium.

3. Remettre le wok sur le feu. Ajouter l'eau, 200 g (2 tasses) de germes de haricot et 120 g (¾ de tasse) de carottes. Couvrir et cuire de 2 à 3 minutes en remuant une seule fois. Retirer le couvercle, ajouter la sauce réservée, la préparation de poulet et les pâtes. À l'aide d'une pince, bien mélanger le tout et réchauffer de 1 à 2 minutes. Servir dans un grand plat, saupoudrer d'arachides et garnir avec le reste des germes de haricot et des carottes.

INFORMATION NUTRITIONNELLE PAR PORTION (270 g/1 ½ tasse) : Calories : 325 | Glucides : 36 g (Sucres : 4 g) | Gras total : 8 g (1 g sat.) | Protéines : 31 g | Fibres : 6 g | Cholestérol : 135 mg | Sodium : 660 mg | Équivalences alimentaires : 3 Viande maigre, 1 ½ Féculent, 1 ½ Légume | Choix de glucides : 2 | Valeur PointsPlus Weight Watchers : 8

Casserole de dinde aux légumes

Ajoutez des poivrons de différentes couleurs ou des courgettes à la recette pour composer un plat plus coloré et riche en fibres. Les pâtes en forme de roues offrent l'avantage de rester bien imprégnées de sauce.

5 PORTIONS

1 c. à thé (à café) d'huile de canola (colza)

1 oignon moyen, en dés

1 poivron vert moyen, en dés

1 c. à thé (à café) d'ail, haché finement

625 g (1 ¼ lb) de dinde hachée maigre

340 g (1 ⅔ tasse) de tomates grillées en dés en conserve

180 ml (¾ de tasse) de pâte de tomates

40 g (½ tasse) de piments verts en conserve, en dés

1 c. à soupe d'assaisonnement au chili

1 ½ c. à thé (à café) de cumin moulu

¾ de c. à thé (à café) d'origan séché

180 g (2 tasses) de pâtes sèches en forme de roues

430 ml (1 ¾ tasse) d'eau

Sel et poivre (facultatif)

1. Dans une grande poêle antiadhésive, à feu moyen, chauffer l'huile et faire sauter l'oignon, le poivron et l'ail de 4 à 5 minutes ou jusqu'à ce que l'oignon soit translucide.

2. Ajouter la dinde et cuire de 4 à 5 minutes en la défaisant à l'aide d'une fourchette. Ajouter le reste des ingrédients. Bien mélanger, couvrir et cuire de 23 à 25 minutes ou jusqu'à ce que la cuisson des pâtes soit terminée. Rectifier l'assaisonnement en sel et en poivre au besoin.

INFORMATION NUTRITIONNELLE PAR PORTION (270 g/1 ½ tasse) : Calories : 370 | Glucides : 37 g (Sucres : 6 g | Gras total : 11 g (2,5 g sat.) | Protéines : 28 g | Fibres : 6 g | Cholestérol : 75 mg | Sodium : 320 mg | Équivalences alimentaires : 3 ½ Viande maigre, 1 ½ Féculent, 1 Légume, 1 Gras | Choix de glucides : 2 | Valeur PointsPlus Weight Watchers : 9

Coquilles aux fruits de mer

Étonnamment, ce plat ne contient que 320 calories par portion même s'il contient des pâtes, du fromage, des crevettes et du crabe.

360 g (3 tasses) de grosses coquilles (pâtes sèches)

250 ml (1 tasse) de lait pauvre en matière grasse

250 ml (1 tasse) de bouillon de poulet pauvre en sodium

1 c. à soupe de fécule de maïs

1 c. à thé (à café) d'huile d'olive

3 branches de céleri, en dés

160 g (2 tasses) de champignons, en tranches

2 gousses d'ail, hachées finement

320 g (2 tasses) de carottes et de petits pois mélangés

90 g (¾ de tasse) de cheddar pauvre en matière grasse, râpé

2 c. à soupe de fromage à la crème allégé

1 ½ c. à thé (à café) d'assaisonnement pour poissons et fruits de mer

375 g (12 oz) de petites crevettes, cuites

250 g (8 oz) de chair de crabe ou de goberge

1. Pendant la préparation de la sauce, cuire les pâtes en suivant les indications inscrites sur l'emballage. Égoutter et réserver dans la casserole ayant servi à la cuisson.

2. Dans un bol moyen, à l'aide d'un fouet, bien mélanger le lait, le bouillon et la fécule de maïs. Réserver.

3. Dans un grand plat à sauter, à feu moyen-vif, chauffer l'huile et faire sauter le céleri, les champignons et l'ail environ 5 minutes ou jusqu'à ce qu'ils soient très tendres. Ajouter le mélange de carottes et de petits pois et cuire pendant 2 minutes. Ajouter la préparation de lait et bien mélanger. Cuire en remuant sans cesse environ 5 minutes ou jusqu'à épaississement. À feu doux, incorporer les fromages et l'assaisonnement pour poissons et fruits de mer.

4. Ajouter les crevettes et le crabe en remuant pour bien les réchauffer. Ajouter les pâtes, remuer délicatement et servir aussitôt.

Conseil : *Pour donner une texture encore plus crémeuse à ce plat, remplacez le lait par du lait évaporé (lait concentré non sucré). Vous augmenterez du même coup sa valeur en calcium.*

INFORMATION NUTRITIONNELLE PAR PORTION (240 g/1 ½ tasse) : Calories : 320 | Glucides : 39 g (Sucres : 5 g) | Gras total : 5 g (3 g sat.) | Protéines : 28 g | Fibres : 3 g | Cholestérol : 120 mg | Sodium : 620 mg | Équivalences alimentaires : 3 Viande maigre, 2 Féculents, 1 Légume | Choix de glucides : 2 ½ | Valeur PointsPlus Weight Watchers : 8

Pennes au brocoli et au pesto de basilic

Si vous êtes amateur de volaille, vous pouvez transformer ce plat végétarien en remplaçant les haricots blancs par du poulet.

60 g (1 tasse) de basilic frais

1 c. à soupe d'huile d'olive extra-vierge

4 c. à soupe d'eau

2 c. à soupe de noix de Grenoble, hachées

2 c. à soupe d'ail, haché finement

¼ de c. à thé (à café) de sel

¼ de c. à thé (à café) de poivre du moulin

60 g (¼ de tasse) de cottage pauvre en matière grasse

4 c. à soupe de parmesan, râpé

150 g (1 ¾ tasse) de pennes sèches

800 g (4 tasses) de fleurons de brocoli

150 g (¾ de tasse) de haricots blancs en conserve, rincés et égouttés

Feuilles de basilic (pour garnir)

Poivre du moulin (facultatif)

1. **Pesto :** à l'aide du robot culinaire ou du pied-mélangeur (mixeur-plongeur), mélanger le basilic, 2 c. à thé (à café) d'huile, 2 c. à soupe d'eau, les noix, l'ail, le sel et le poivre. Ajouter le cottage et la moitié du parmesan. Mélanger jusqu'à consistance lisse et réserver.

2. Cuire les pâtes en suivant les indications inscrites sur l'emballage. Mettre le brocoli et 2 c. à soupe d'eau dans un grand plat convenant au micro-ondes. Couvrir et cuire à puissance maximale de 2 à 3 minutes ou jusqu'à ce que le brocoli soit tendre mais encore un peu croquant. Égoutter et réserver.

3. Égoutter les pâtes et réserver 2 c. à soupe de l'eau de cuisson. Remettre les pâtes et l'eau réservée dans la casserole. Ajouter les haricots blancs, remuer et réchauffer à feu doux pendant 2 minutes. Fermer le feu. Verser le pesto sur les pâtes et remuer délicatement. Ajouter le brocoli et mélanger doucement.

4. Servir les pâtes dans un grand plat et saupoudrer avec le reste du parmesan. Garnir de basilic et poivrer au goût.

Variante : *Pour faire des pennes au poulet, au brocoli et au pesto, n'utiliser que 600 g (3 tasses) de brocoli, omettre les haricots blancs et ajouter 240 g (1 ½ tasse) de poulet cuit aux pâtes égouttées. Ajouter 30 calories, 10 g de protéines et 2 g de gras, puis soustraire 7 g de glucides et 4 g de fibres.*

INFORMATION NUTRITIONNELLE PAR PORTION (240 g/1 ½ tasse) : Calories : 300 | Glucides : 40 g (Sucres : 4 g) | Gras total : 9 g (2 g sat.) | Protéines : 17 g | Fibres : 7 g | Cholestérol : 5 mg | Sodium : 430 mg | Équivalences alimentaires : 2 ½ Féculents, 1 Viande maigre, 1 Légume, 1 Gras | Choix de glucides : 2 ½ | Valeur PointsPlus Weight Watchers : 8

Fettuccinis aux crevettes

Le lait évaporé (lait concentré non sucré) est l'ingrédient secret qui donne une texture extrêmement onctueuse à ce plat qui ne requiert que 15 minutes de préparation.

4 PORTIONS

180 g (6 oz) de fettuccinis (pâtes sèches)

1 c. à thé (à café) d'huile d'olive

500 g (1 lb) de grosses crevettes crues, décortiquées et déveinées

1 gousse d'ail, broyée

3 c. à soupe de vermouth rouge

375 ml (1 ½ tasse) de sauce marinara du commerce

125 ml (½ tasse) de lait évaporé (lait concentré non sucré) pauvre en matière grasse

½ c. à thé (à café) d'origan séché

1 pincée de poivre du moulin

1 pincée de flocons de piment

1. Pendant la préparation de la sauce, cuire les pâtes en suivant les indications inscrites sur l'emballage. Égoutter et réserver.

2. Dans une grande casserole antiadhésive, à feu moyen, chauffer l'huile et cuire les crevettes avec l'ail de 1 à 2 minutes ou jusqu'à ce qu'elles soient rosées. Ajouter le vermouth et faire sauter les crevettes 1 minute de plus. Réserver au chaud dans une assiette couverte.

3. Ajouter la sauce marinara, le lait évaporé, l'origan, le poivre et le piment en mélangeant à l'aide d'un fouet. Laisser mijoter de 1 à 2 minutes ou jusqu'à ce que la préparation soit bien chaude. Ajouter les crevettes et mélanger avec les pâtes.

Conseil : *Pour faire décongeler les crevettes en 10 ou 15 minutes (selon leur grosseur), mettez-les dans un grand bol d'eau froide et laissez couler l'eau froide du robinet.*

INFORMATION NUTRITIONNELLE PAR PORTION (300 g/1 ½ tasse) : Calories : 310 | Glucides : 40 g (Sucres : 12 g) | Gras total : 4 g (0,5 g sat.) | Protéines : 24 g | Fibres : 4 g | Cholestérol : 140 mg | Sodium : 420 mg | Équivalences alimentaires : 2 ½ Viande maigre, 2 Féculents, 1 Légume | Choix de glucides : 2 ½ | Valeur PointsPlus Weight Watchers : 7

Pizza aux spaghettis

La « croûte » de cette « pizza » est formée par les pâtes cuites. Il s'agit donc d'un plat mi-pâtes, mi-pizza dont le goût évoque celui de la lasagne. Décadent !

6 PORTIONS

180 g (6 oz) de spaghettis (pâtes sèches)

1 gros œuf, battu légèrement

25 g (¼ de tasse) + 2 c. à soupe de parmesan, râpé

250 g (8 oz) de bœuf haché maigre

160 g (2 tasses) de champignons, en tranches (facultatif)

375 ml (1 ½ tasse) de sauce marinara du commerce

½ c. à thé (à café) d'origan séché

260 g (1 tasse) de ricotta partiellement écrémée

90 g (¾ de tasse) de mozzarella partiellement écrémée, râpée

1. Préchauffer le four à 180 °C/350 °F/gaz 4. Vaporiser légèrement un moule à tarte de 23 cm (9 po) d'enduit végétal.

2. Cuire les pâtes en suivant les indications inscrites sur l'emballage. Égoutter, rincer et bien égoutter de nouveau. Disposer dans un grand bol et mélanger avec l'œuf et 25 g (¼ de tasse) de parmesan. Presser les spaghettis dans le moule et réserver.

3. Vaporiser une poêle antiadhésive moyenne d'enduit végétal et chauffer à feu moyen-vif. Cuire le bœuf haché et les champignons de 5 à 7 minutes ou jusqu'à ce que la viande soit dorée. Ajouter la sauce marinara et l'origan. Mélanger et cuire de 3 à 4 minutes. Remuer la ricotta et l'étaler uniformément sur les pâtes. Couvrir avec une couche de sauce à la viande. Saupoudrer avec la mozzarella et le reste du parmesan.

4. Cuire la pizza au four pendant 30 minutes ou jusqu'à ce qu'elle soit bien chaude. Retirer du four et laisser reposer pendant 10 minutes avant de découper en six pointes de même grosseur.

Conseil : *Pour faire une pizza plus épaisse, utilisez 250 g (4 tasses) de spaghettis cuits. Ajoutez 30 calories et 7 g de glucides.*

INFORMATION NUTRITIONNELLE PAR PORTION : Calories : 290 | Glucides : 26 g (Sucres : 2 g) | Gras total : 12 g (6 g sat.) | Protéines : 24 g | Fibres : 5 g | Cholestérol : 80 mg | Sodium : 410 mg | Équivalences alimentaires : 3 Viande maigre, 1 Féculent, 1 Légume, 1 Gras | Choix de glucides : 1 ½ | Valeur PointsPlus Weight Watchers : 5

Pâte à pizza maison

Même si vous n'avez encore jamais fait de pâte à pizza, vous réussirez à coup sûr. Pour obtenir une croûte croustillante, mettez-la au four préchauffé à 220 °C/425 °F/gaz 7 de 10 à 15 minutes avant d'ajouter les garnitures. Cette pâte maison peut servir dans toutes les recettes qui demandent une croûte à pizza. La quantité obtenue équivaut à une pâte réfrigérée du commerce d'environ 300 g (10 oz).

DONNE 1 PÂTE À PIZZA DE 375 G (12 OZ)

120 g (¾ de tasse) de farine blanche de blé entier

120 g (¾ de tasse) de farine tout usage (type 55)

1 sachet de levure à action rapide (2 ¼ c. à thé/à café)

¼ de c. à thé (à café) de sel

¼ de c. à thé (à café) de sucre

125 ml (½ tasse) d'eau chaude

2 c. à thé (à café) d'huile d'olive

1. À l'aide du robot culinaire, mélanger les farines, la levure, le sel et le sucre. Mélanger l'eau et l'huile dans une tasse. Pendant que l'appareil est toujours en marche, verser l'eau peu à peu jusqu'à ce qu'une pâte collante commence à se former. Continuer de mélanger jusqu'à formation d'une boule, puis mélanger 1 minute de plus. (La pâte doit être belle et souple. Si elle est trop sèche pour former une boule, ajouter un peu d'eau. Si elle est trop collante, ajouter 1 c. à soupe de farine.)

2. Vaporiser un grand bol d'enduit végétal. Mettre la boule de pâte dans le bol et la retourner pour l'enduire complètement d'enduit végétal. Couvrir le bol de pellicule de plastique ou d'un linge humide et laisser reposer à température ambiante pendant 1 heure ou jusqu'à ce que la pâte ait doublé de volume. Dégonfler la pâte avec le poing et laisser reposer environ 10 minutes avant de l'abaisser à l'aide du rouleau à pâtisserie.

Conseil: *Après avoir dégonflé la pâte, on peut la mettre dans un bol et la couvrir ou l'envelopper de pellicule de plastique, puis la réfrigérer pour un usage ultérieur. On peut la conserver ainsi pendant 2 jours.*

INFORMATION NUTRITIONNELLE PAR PORTION (le sixième de la pâte): Calories: 130 | Glucides: 24 g (Sucres: 1 g) | Gras total: 2 g (0 g sat.) | Protéines: 4 g | Fibres: 3 g | Cholestérol: 0 mg | Sodium: 200 mg | Équivalences alimentaires: 1 ½ Féculent | Choix de glucides: 1 ½ | Valeur PointsPlus Weight Watchers: 3

Pizza au fromage et au pepperoni de dinde

Plus vous mettrez de légumes sur votre pizza et plus vous augmenterez sa valeur nutritive. Une pointe généreusement garnie ne contient que 220 calories. Servez-la avec une salade pour faire un repas encore plus nourrissant.

6 PORTIONS

160 g (2 tasses) de champignons, en tranches

1 poivron vert moyen, en rondelles de 5 mm (¼ de po)

1 croûte à pizza mince du commerce

6 c. à soupe de sauce pour pizza

80 g (½ tasse) de poivrons rouges, rôtis et hachés

90 g (¾ de tasse) de mélange de fromages italiens râpés pauvres en matière grasse

12 tranches de pepperoni de dinde, coupées en deux

80 g (½ tasse) d'oignons rouges, en tranches fines

2 c. à soupe de parmesan, râpé

1. Placer la grille au centre du four. Préchauffer le four à 180 °C/ 350 °F/gaz 4.

2. Mettre une feuille de papier absorbant dans une assiette convenant au micro-ondes. Étaler les champignons et les rondelles de poivron vert sur le papier et cuire au micro-ondes pendant 1 minute.

3. Mettre la croûte à pizza sur une plaque à pâtisserie et couvrir uniformément de sauce pour pizza. Couvrir de poivrons rouges et du mélange de fromages. Ajouter les rondelles de poivron vert, les champignons, le pepperoni et les oignons.

4. Saupoudrer de parmesan et cuire au four, sur la grille du centre, pendant 15 minutes ou jusqu'à ce que le fromage soit fondu et que la croûte soit dorée. Couper la pizza en six pointes de même grosseur.

Conseil : *Pour éviter que les légumes soient trop humides, on les met d'abord sur une feuille de papier absorbant et on les réchauffe au micro-ondes pendant 1 minute.*

INFORMATION NUTRITIONNELLE PAR PORTION (1 pointe) : Calories : 220 | Glucides : 31 g (Sucres : 3 g) | Gras total : 7 g (2 g sat.) | Protéines : 13 g | Fibres : 3 g | Cholestérol : 15 mg | Sodium : 680 mg | Équivalences alimentaires : 1 ½ Féculent, 1 ½ Légume, 1 Viande maigre | Choix de glucides : 2 | Valeur PointsPlus Weight Watchers : 6

Pizza aux légumes sur tortilla

La tortilla permet de faire une croûte mince et croustillante agréablement riche en fibres. Si vous aimez une croûte encore plus croustillante, mettez la pizza directement sur la grille du four au cours de la toute dernière minute de cuisson.

1 PORTION

1 tortilla riche en fibres

80 g (1 tasse) de champignons, en tranches

3 rondelles de poivrons verts ou 80 g (½ tasse) de poivrons verts haché

2 c. à soupe de sauce pour pizza

3 c. à soupe de mélange de fromages italiens râpés pauvres en matière grasse

40 g (¼ de tasse) d'oignon rouge, en tranches fines

½ c. à thé (à café) d'origan séché

1 c. à thé (à café) de parmesan, râpé

1. Préchauffer le four à 220 °C/425 °F/gaz 7.

2. Placer la tortilla sur une plaque à pâtisserie et vaporiser légèrement d'enduit végétal. Cuire au four pendant 4 minutes ou jusqu'à ce qu'elle soit légèrement croustillante. Entre-temps, placer une feuille de papier absorbant dans une assiette convenant au micro-ondes. Étaler les champignons et le poivron sur le papier et cuire au micro-ondes pendant 1 minute.

3. Retirer la tortilla du four. Couvrir uniformément de sauce et du mélange de fromages, puis ajouter les champignons, le poivron et l'oignon. Émietter l'origan sur la pizza et saupoudrer de parmesan. Cuire au four pendant 4 minutes ou jusqu'à ce que le fromage soit fondu et que la croûte soit croustillante au goût.

INFORMATION NUTRITIONNELLE PAR PORTION (1 pizza entière) : Calories : 220 | Glucides : 26 g (Sucres : 4 g) | Gras total : 8 g (4 g sat.) | Protéines : 13 g | Fibres : 13 g | Cholestérol : 0 mg | Sodium : 590 mg | Équivalences alimentaires : 2 Légumes, 1 Viande mi-maigre, 1 Féculent, 1 Gras | Choix de glucides : 1 ½ | Valeur PointsPlus Weight Watchers : 5

Plats d'accompagnement

LA POMME DE TERRE

Qui n'aime pas la pomme de terre ? Malheureusement, on l'associe trop souvent aux glucides et aux calories vides. Pourtant, si on sait l'apprêter de manière adéquate et se contenter d'une portion raisonnable, on peut l'intégrer dans tout régime alimentaire équilibré. Économique, réconfortante et bonne pour la santé, elle mérite de retrouver ses lettres de noblesse.

SEPT BONNES RAISONS DE CONSOMMER LA POMME DE TERRE

1. **Bonne pour le régime!** Sans gras, sans gluten et pauvre en sodium, une pomme de terre de 150 g (5 oz) ne contient que 110 calories. De mauvais modes de préparation et des garnitures trop riches nuisent malheureusement à sa réputation.

2. **Elle comble l'appétit.** La pomme de terre bouillie comble mieux notre appétit que n'importe quel autre ingrédient contenant le même nombre de calories (ex. : poisson, flocons d'avoine, pomme).

3. **Elle diminue la pression artérielle.** Sa teneur élevée en potassium en fait une alliée de choix pour la santé. Des études ont démontré qu'un régime riche en potassium aidait à réduire les effets du sodium sur la pression artérielle.

4. **Riche en nutriments.** La pomme de terre contient 22 acides aminés (constituants élémentaires des protéines) en plus d'être une excellente source de vitamine C. Qu'elle soit rouge, jaune, orange ou bleue, sa teneur en antioxydants rivalise avec celle du brocoli et du chou de Bruxelles.

5. **La salade de pommes de terre est bonne pour la glycémie.** Une fois cuite et refroidie, la pomme de terre a une teneur élevée en amidon résistant, un type d'amidon qui n'est pas digéré dans l'intestin grêle et qui, comme les fibres, freine l'augmentation de la glycémie.

6. **Vive la patate douce !** Une patate douce renferme plus de 200 % de la quantité de vitamine A recommandée quotidiennement ainsi que 5 g de fibres.

7. **Facile à préparer.** Pour cuire une pomme de terre au micro-ondes, lavez-la et brossez-la avec soin. Prélevez-y un petit morceau d'environ 5 mm (¼ de po) de largeur, 2,5 cm (1 po) de profondeur et 8 cm (3 po) de longueur et jetez-le. Faites cuire ensuite la pomme de terre à puissance maximale de 10 à 12 minutes ou jusqu'à ce qu'elle soit tendre. La vapeur qui s'en échappera rendra l'intérieur sec et duveteux, comme si elle avait été cuite au four.

Haricots verts au beurre de citron

Même si les ingrédients sont tout simples, cette recette sera très appréciée pour les occasions spéciales ou les repas de tous les jours.

500 g (1 lb) de haricots verts frais, parés

2 c. à soupe de beurre

Le jus de 1 gros citron (environ 3 c. à soupe)

1 pincée de sel

1 pincée de poivre du moulin (ou au goût)

1. Porter une grande casserole d'eau à ébullition. Ajouter les haricots verts et ramener l'eau à ébullition. Laisser bouillir à feu moyen de 2 à 3 minutes ou jusqu'à ce que les haricots soient tendres mais encore un peu croquants (ou jusqu'à cuisson au goût). Égoutter aussitôt et réserver. (On peut préparer l'étape 1 à l'avance.)

2. Dans un grand plat à sauter antiadhésif, à feu doux, chauffer le beurre, puis incorporer le jus de citron à l'aide d'un fouet. À feu moyen, continuer de fouetter jusqu'à l'obtention d'une sauce sans laisser brunir.

3. Ajouter les haricots, bien remuer et saler et poivrer au goût. Servir aussitôt.

Conseil : *Ces haricots verts cuits à la perfection peuvent accompagner plusieurs recettes dont les filets de poisson en croûte d'amandes (page 187) et le pain de viande au cheddar (page 178).*

INFORMATION NUTRITIONNELLE PAR PORTION (90 g/½ tasse) : Calories : 60 | Glucides : 5 g (Sucres : 2 g) | Gras total : 4 g (2,5 g sat.) | Protéines : 1 g | Fibres : 2 g | Cholestérol : 10 mg | Sodium : 90 mg | Équivalences alimentaires : 1 Légume, 1 Gras | Choix de glucides : 1 | Valeur PointsPlus Weight Watchers : 2

Carottes glacées à l'orange

Servez ces carottes avec le jambon de Pâques ou la dinde de Noël. Elles accompagnent aussi très bien le saumon et les côtelettes de porc cuits sur le gril.

6 PORTIONS

480 g (3 tasses) de carottes miniatures

125 ml (½ tasse) d'eau

Le jus et le zeste finement râpé de 1 orange moyenne

1 pincée de fécule de maïs

⅓ de c. à thé (à café) de cannelle moulue (ou au goût)

1 pincée de gingembre moulu

1 pincée de clou de girofle moulu

1 pincée de sel

1 ½ c. à thé (à café) de cassonade ou de sucre roux

1 c. à soupe de beurre

1. Mettre les carottes et l'eau dans un plat à sauter moyen, puis porter à ébullition. Couvrir et cuire à feu moyen-doux de 8 à 10 minutes ou jusqu'à ce que les carottes soient tendres mais encore un peu croquantes.

2. Entre-temps, dans un bol, à l'aide d'un fouet, mélanger le jus d'orange (ajouter de l'eau pour obtenir 80 ml/⅓ de tasse de liquide en tout), la fécule de maïs, les épices et le sel. Dans le plat à sauter, ajouter la préparation de jus d'orange, la casso-nade et le beurre en remuant. Laisser mijoter de 2 à 3 minutes ou jusqu'à ce que le jus devienne luisant et que les carottes soient tendres.

3. Incorporer le zeste d'orange et servir aussitôt.

INFORMATION NUTRITIONNELLE PAR PORTION (80 g/½ tasse) : Calories : 60 | Glucides : 10 g (Sucres : 6 g) | Gras total : 2 g (1 g sat.) | Protéines : 1 g | Fibres : 2 g | Cholestérol : 5 mg | Sodium : 140 mg | Équivalences alimentaires : 1 Légume, ½ Gras | Choix de glucides : 1 | Valeur PointsPlus Weight Watchers : 2

Bouchées de brocoli frites au four

Le fait de tremper le brocoli dans une sauce au babeurre avant de l'enrober de chapelure est une véritable révélation. Attendez-vous à ce que tout le monde réclame une deuxième portion !

4 PORTIONS

800 g (4 tasses) de petits fleurons de brocoli avec un bout de la tige

1 c. à soupe d'eau

60 ml (¼ de tasse) de babeurre pauvre en matière grasse

2 c. à soupe de mayonnaise allégée

¼ de c. à thé (à café) de poudre d'ail

¼ de c. à thé (à café) de poudre d'oignon

1 pincée de poivre du moulin

60 g (½ tasse) de chapelure panko

3 c. à soupe de chapelure sèche

1 pincée de sel

1 c. à soupe d'huile végétale

1. Préchauffer le four à 200 °C/400 °F/gaz 6. Dans un bol moyen convenant au micro-ondes, mettre le brocoli et l'eau. Couvrir et cuire à puissance maximale pendant 90 secondes. Laisser refroidir dans une assiette tapissée de papier absorbant.

2. Dans un petit bol, à l'aide d'un fouet, mélanger les cinq ingrédients suivants (du babeurre jusqu'au poivre). Dans un autre bol peu profond, mélanger les chapelures et le sel. Ajouter l'huile et mélanger délicatement.

3. Prendre un fleuron de brocoli par la tige et le tremper complètement dans la sauce au babeurre. Ranger sur une plaque à pâtisserie et faire de même avec les autres fleurons. Vaporiser légèrement d'enduit végétal.

4. Cuire au four pendant 12 minutes. (Pour obtenir des bouchées très croustillantes ou plus dorées, il suffit de les passer sous le gril du four pendant 1 minute avant de servir.)

INFORMATION NUTRITIONNELLE PAR PORTION (150 g/¾ de tasse) : Calories : 100 | Glucides : 15 g (Sucres : 3 g) | Gras total : 3,5 g (0,5 g sat.) | Protéines : 4 g | Fibres : 2 g | Cholestérol : 5 mg | Sodium : 330 mg | Équivalences alimentaires : 1 Légume, ½ Féculent, 1 Gras | Choix de glucides : 1 | Valeur PointsPlus Weight Watchers : 2

Asperges à la sauce hollandaise

Peut-on vraiment associer les mots « sauce hollandaise » et « santé » ? Oui, grâce à ce plat allégé qui fait honneur à la recette originale. Essayez ces asperges avec les œufs à la bénédictine (page 54).

6 PORTIONS

Sauce hollandaise

1 gros œuf

60 ml (¼ de tasse) de succédané d'œuf liquide

1 ½ c. à soupe de jus de citron

2 c. à soupe d'eau

¼ de c. à thé (à café) de moutarde de Dijon

1 pincée de sel

2 c. à soupe de beurre, fondu

1 pincée de piment de Cayenne

Asperges

750 g (1 ½ lb) d'asperges moyennes (couper le bout coriace)

60 ml (¼ de tasse) d'eau

1 pincée de poivre du moulin (ou au goût)

1. **Sauce hollandaise :** remplir une casserole moyenne d'eau (ou remplir d'eau à moitié la partie inférieure d'un bain-marie). Chauffer à feu moyen jusqu'à ce que l'eau commence à mijoter.

2. Dans un petit bol métallique (ou la partie supérieure du bain-marie), ajouter les six premiers ingrédients (de l'œuf jusqu'au sel) et mélanger à l'aide d'un fouet environ 1 minute ou jusqu'à consistance très mousseuse. Placer le bol au-dessus de l'eau frémissante en veillant à ce que le fond n'entre pas en contact avec le liquide. Fouetter sans cesse jusqu'à ce que la sauce épaississe et augmente de volume. Dès que le bord des œufs commence à cuire, retirer le bol et le placer sur un linge propre. (La sauce doit être suffisamment épaisse pour napper le dos d'une cuillère.)

3. Continuer de fouetter la sauce pendant 30 secondes. Verser lentement le beurre fondu et ajouter le cayenne en fouettant jusqu'à consistance lisse. Réserver.

4. Mettre les asperges dans un grand plat de cuisson convenant au micro-ondes. Verser l'eau, couvrir et cuire à puissance maximale de 3 à 4 minutes ou jusqu'à ce qu'elles soient tendres. Servir avec la sauce hollandaise. Saupoudrer de poivre si désiré.

INFORMATION NUTRITIONNELLE PAR PORTION (4 ou 5 asperges et 2 c. à soupe de sauce) : Calories : 80 | Glucides : 6 g (Sucres : 3 g) | Gras total : 5 g (3 g sat.) | Protéines : 5 g | Fibres : 2 g | Cholestérol : 45 mg | Sodium : 90 mg | Équivalences alimentaires : 1 Légume, 1 Gras | Choix de glucides : ½ | Valeur PointsPlus Weight Watchers : 2

Galettes de légumes toutes simples

Voici la recette par excellence pour faire manger plus de légumes aux tout-petits (et aux adultes !).
Servez ces galettes avec un peu de parmesan râpé.

4 À 6 PORTIONS

1 courgette moyenne, parée

1 courge jaune, parée

¼ de c. à thé (à café) de sel

1 gros œuf

1 gros blanc d'œuf

1 petite carotte, râpée

40 g (¼ de tasse) d'oignon, râpé

½ c. à thé (à café) de poivre du moulin

40 g (¼ de tasse) de farine tout usage (type 55)

2 c. à soupe de fécule de maïs

¾ de c. à thé (à café) de levure chimique (poudre à pâte)

1. Râper la courgette et la courge à l'aide de la râpe moyenne du robot culinaire ou d'une râpe ordinaire. Mettre dans une passoire, saupoudrer de sel et laisser égoutter dans l'évier pendant 5 minutes.

2. Dans un grand bol, à l'aide d'un fouet, mélanger l'œuf et le blanc d'œuf. Ajouter le reste des ingrédients et bien mélanger. À l'aide d'une soucoupe ou d'un couvercle de casserole, presser fermement sur les courges pour extraire l'excès de liquide. Mélanger les courges avec la préparation d'œufs.

3. Vaporiser une grande poêle antiadhésive d'enduit végétal et chauffer à feu moyen. Verser 60 ml (¼ de tasse) de la préparation et l'étaler en formant un disque de 9 cm (3 ½ po). Cuire de 1 à 2 minutes d'un côté ou jusqu'à ce que le fond soit doré. Retourner et cuire de 1 à 2 minutes de l'autre côté. Réserver au chaud dans une assiette. Cuire le reste des galettes de la même façon jusqu'à ce qu'elles soient bien dorées de chaque côté et légèrement croustillantes.

Variante : *Pour ajouter un léger goût sucré à la recette, ajouter 60 g (⅓ de tasse) de maïs. Si on aime le fromage, mettre de 2 à 3 c. à soupe de parmesan râpé. Pour faire un plat très coloré, garnir les galettes de 2 à 3 c. à soupe de petits dés de poivron rouge.*

INFORMATION NUTRITIONNELLE PAR PORTION (2 galettes) : Calories : 60 | Glucides : 10 g (Sucres : 2 g) | Gras total : 1 g (0 g sat.) | Protéines : 3 g | Fibres : 2 g | Cholestérol : 30 mg | Sodium : 150 mg | Équivalences alimentaires : 1 Légume, ¼ Féculent | Choix de glucides : 1 | Valeur PointsPlus Weight Watchers : 1

Casserole de courgettes légères comme une plume

Les blancs d'œufs battus allègent admirablement la texture de ce plat que vous aimerez servir tel quel ou comme mets d'accompagnement lors du repas du midi.

8 PORTIONS

4 c. à thé (à café) de margarine ou de beurre

750 g (6 tasses) de courgettes, râpées grossièrement

160 g (1 tasse) d'oignons, hachés finement

80 g (½ tasse) de poivrons rouges, hachés finement

1 c. à soupe de farine tout usage (type 55)

250 ml (1 tasse) de lait évaporé (lait concentré non sucré) pauvre en matière grasse

1 c. à thé (à café) de moutarde de Dijon

½ c. à thé (à café) de sel à l'ail

1 pincée de poivre du moulin

90 g (¾ de tasse) de cheddar fort pauvre en matière grasse, râpé

2 gros blancs d'œufs

30 g (¼ de tasse) de chapelure panko

1. Préchauffer le four à 200 °C/400 °F/gaz 6. Vaporiser légèrement un plat de cuisson en verre ou en céramique de 23 cm x 23 cm x 5 cm (9 po x 9 po x 2 po) d'enduit végétal.

2. Dans une grande poêle antiadhésive, à feu moyen, chauffer 1 c. à thé (à café) de margarine et cuire les courgettes, les oignons et les poivrons de 10 à 15 minutes ou jusqu'à évaporation complète du liquide. Réserver dans un bol.

3. Dans la même poêle, à feu moyen, chauffer 2 c. à thé (à café) de margarine. Ajouter la farine et cuire pendant 1 minute en remuant sans cesse. Ajouter le lait évaporé, la moutarde, le sel à l'ail et le poivre. Mélanger à l'aide d'un fouet de 4 à 5 minutes ou jusqu'à épaississement. Retirer du feu et incorporer le cheddar. Verser sur les courgettes, remuer et laisser refroidir pendant la préparation des blancs d'œufs.

4. Dans un petit bol, battre les blancs d'œufs jusqu'à l'obtention de pics mous. Plier doucement dans la préparation de courgettes. Transvider dans le plat de cuisson. Faire fondre le reste de la margarine et mélanger avec la chapelure. Saupoudrer uniformément les courgettes avec la chapelure.

5. Cuire au four de 35 à 40 minutes ou jusqu'à ce que le plat soit bien chaud.

INFORMATION NUTRITIONNELLE PAR PORTION (100 g/½ tasse généreuse) : Calories : 90 | Glucides : 10 g (Sucres : 6 g) | Gras total : 3 g (2 g sat.) | Protéines : 7 g | Fibres : 2 g | Cholestérol : 10 mg | Sodium : 250 mg | Équivalences alimentaires : 1 Légume, 1 Viande maigre | Choix de glucides : 1 | Valeur PointsPlus Weight Watchers : 2

Purée de pommes de terre aux oignons verts et à la crème

Des études récentes ont démontré que le fait d'ajouter des légumes en purée aux plats consistants permettait de consommer moins de calories tout en comblant l'appétit. Pour alléger votre purée de pommes de terre, utilisez du chou-fleur et des pommes de terre à parts égales. Étonnamment, le goût du chou-fleur cédera toute la place à celui des pommes de terre.

6 PORTIONS

500 g (3 tasses) de pommes de terre Yukon Gold, en cubes

500 g (3 tasses) de fleurons de chou-fleur

50 g (½ tasse) d'oignons verts, en dés

1 c. à thé (à café) d'huile végétale

½ c. à thé (à café) de poudre d'oignon

80 g (⅓ de tasse) de crème sure allégée

¼ de c. à thé (à café) de sel (ou au goût)

¼ de c. à thé (à café) de poivre du moulin

1. Mettre les pommes de terre dans une grande casserole d'eau, porter à ébullition et cuire pendant 5 minutes.

2. Ajouter le chou-fleur et cuire à feu moyen-doux pendant 15 minutes ou jusqu'à ce que tous les légumes soient tendres.

3. Entre-temps, dans un petit bol convenant au micro-ondes, mélanger les oignons verts et l'huile. Couvrir et cuire à puissance maximale pendant 1 minute.

4. Égoutter les pommes de terre et le chou-fleur dans une passoire. À l'aide d'une soucoupe ou d'un couvercle de casserole, presser fermement sur les légumes pour extraire l'excès de liquide. Remettre dans la casserole et ajouter le reste des ingrédients. Réduire en purée à l'aide du pilon à purée ou du batteur électrique (mixeur) en évitant de trop mélanger inutilement.

Conseil : *Si vous préférez faire un plat sans chou-fleur, utilisez 750 g (4 ½ tasses) de pommes de terre et ajoutez 3 c. à soupe (45 ml) de lait à la crème. Vous obtiendrez 6 portions de 90 g (½ tasse). Comptez 120 calories et 23 g de glucides par portion.*

INFORMATION NUTRITIONNELLE PAR PORTION (60 g/⅓ de tasse) : Calories : 100 | Glucides : 18 g (Sucres : 3 g) | Gras total : 2 g (1 g sat.) | Protéines : 4 g | Fibres : 3,5 g | Cholestérol : 5 mg | Sodium : 135 mg | Équivalences alimentaires : 1 Féculent, 1 Légume | Choix de glucides : 1 | Valeur PointsPlus Weight Watchers : 3

Purée de patates douces épicée

La citrouille allège la purée sans altérer le goût unique des patates douces. Agrémentée d'une infime quantité de beurre et de sirop d'érable, cette recette originale est appréciée tout au long de l'année.

6 PORTIONS

750 g (1 ½ lb) de patates douces

1 c. à soupe de beurre ou de margarine

½ c. à thé (à café) de thym séché

250 g (1 tasse) de citrouille (potiron) en conserve

1 ½ c. à soupe de sirop d'érable

¾ de c. à thé (à café) de sel fin ou épicé

½ c. à thé (à café) de poivre du moulin

1 pincée de piment de Cayenne

1. Laver les patates douces avant de les piquer à l'aide d'une fourchette. Cuire au micro-ondes, à puissance maximale, pendant 10 minutes ou jusqu'à ce qu'elles soient tendres.

2. Couper les patates en deux sur la longueur, retirer la chair et la mettre dans un bol convenant au micro-ondes. Ajouter le beurre et bien mélanger.

3. Mélanger les patates avec le thym et le reste des ingrédients. À l'aide d'un pilon à purée ou d'une grande fourchette, réduire la préparation en purée lisse. Réchauffer au micro-ondes environ 1 minute.

Conseil : *La citrouille et le potiron sont d'excellentes sources de fibres et de vitamine A. Une quantité de 125 g (½ tasse) de purée en conserve contient 40 calories seulement et 5 g de fibres.*

INFORMATION NUTRITIONNELLE PAR PORTION (80 g/½ tasse) : Calories : 150 | Glucides : 31 g (Sucres : 14 g) | Gras total : 2,5 g (1 g sat.) | Protéines : 4 g | Fibres : 5 g | Cholestérol : 0 mg | Sodium : 250 mg | Équivalences alimentaires : 2 Féculents | Choix de glucides : 2 | Valeur PointsPlus Weight Watchers : 4

Riz au maïs parfumé à la lime

Voici le meilleur riz qui soit, cela dit sans exagération ! Les haricots noirs apportent une quantité supplémentaire de fibres tandis que le poivron rouge et le maïs illuminent le plat de leurs belles couleurs vives.

4 PORTIONS

310 ml (1 ¼ tasse) d'eau

140 g (⅔ de tasse) de riz brun instantané

150 g (¾ de tasse) de haricots noirs, rincés et égouttés

45 g (¼ de tasse) de maïs, décongelé

55 g (⅓ de tasse) de poivron rouge, en dés

1 oignon vert moyen (parties blanche et verte), en petits dés

3 c. à soupe de jus de lime (citron vert)

2 c. à soupe de coriandre fraîche, hachée

¼ de c. à thé (à café) de sel

1. Dans une casserole moyenne, porter à ébullition l'eau et le riz. Couvrir et cuire à feu moyen pendant 10 minutes. Retirer du feu et détacher les grains de riz à l'aide d'une fourchette.

2. Mélanger aussitôt le riz avec les haricots noirs, le maïs, le poivron, l'oignon vert et le jus de lime. Remuer délicatement et couvrir. Laisser reposer de 3 à 4 minutes pour réchauffer le tout. Retirer le couvercle et incorporer la coriandre et le sel. Servir aussitôt.

INFORMATION NUTRITIONNELLE PAR PORTION (150 g/¾ de tasse) : Calories : 120 | Glucides : 23 g (Sucres : 2 g) | Gras total : 1 g (0 g sat.) | Protéines : 4 g | Fibres : 4 g | Cholestérol : 0 mg | Sodium : 250 mg | Équivalences alimentaires : 1 ½ Féculent, ½ Légume | Choix de glucides : 1 ½ | Valeur PointsPlus Weight Watchers : 3

Riz au brocoli et au fromage vite fait

Pourquoi acheter du riz assaisonné en boîte alors qu'il ne faut qu'une dizaine de minutes pour préparer un superbe riz brun au brocoli et au cheddar ?

500 ml (2 tasses) de bouillon de poulet pauvre en sodium

200 g (1 tasse) de riz brun à cuisson rapide

600 g (3 tasses) de fleurons de brocoli, coupés en bouchées

¼ de c. à thé (à café) de poudre d'ail (facultatif)

250 ml (1 tasse) de soupe condensée au cheddar en conserve

¼ de c. à thé (à café) de poivre du moulin (ou plus, au goût)

1. Dans une casserole moyenne, à feu moyen-vif, porter le bouillon et le riz à ébullition. Couvrir et laisser mijoter à feu moyen-doux pendant 3 minutes.

2. Ajouter le brocoli et la poudre d'ail. Couvrir et cuire pendant 4 minutes.

3. Ajouter la soupe au cheddar et le poivre, puis réchauffer de 2 à 3 minutes.

INFORMATION NUTRITIONNELLE PAR PORTION (120 g/⅔ de tasse) : Calories : 125 | Glucides : 25 g (Sucres : 1 g) | Gras total : 2 g (1 g sat.) | Protéines : 5 g | Fibres : 2 g | Cholestérol : 10 mg | Sodium : 300 mg | Équivalences alimentaires : 1 ½ Féculent, ½ Légume | Choix de glucides : 1 ½ | Valeur PointsPlus Weight Watchers : 3

Pain de maïs au fromage cuit dans une poêle

Ce pain incomparable est très bon avec le porc grillé à la sauce barbecue (page 194).

120 g (1 tasse) de semoule de maïs

160 g (1 tasse) de farine blanche de blé entier

1 c. à soupe de levure chimique (poudre à pâte)

½ c. à thé (à café) de bicarbonate de soude

6 g (¼ de tasse) d'édulcorant sans calories en granulés

1 pincée de sel

1 pincée de poivre du moulin

80 g (½ tasse) d'oignons, en dés

250 ml (1 tasse) de babeurre

120 g (½ tasse) de cottage pauvre en matière grasse

2 gros œufs, battus

3 c. à soupe de margarine ou de beurre, fondu

1 c. à thé (à café) d'huile de canola (colza)

1. Préchauffer le four à 220 °C/425 °F/gaz 7. Réchauffer une poêle en fonte de 25 cm (10 po) dans le four.

2. Dans un grand bol, à l'aide d'un fouet, bien mélanger les sept premiers ingrédients (de la fécule de maïs jusqu'au poivre).

3. Dans un bol moyen convenant au micro-ondes, cuire les oignons à puissance maximale pendant 30 secondes. Ajouter le babeurre, le cottage, les œufs et la margarine. Creuser une fontaine au centre des ingrédients secs et y verser la préparation au babeurre. Mélanger à l'aide d'une cuillère jusqu'à ce que tous les ingrédients soient parfaitement amalgamés.

4. Retirer la poêle du four avec précaution et la vaporiser d'huile de canola. Verser la préparation et l'étaler uniformément. Cuire au four de 20 à 25 minutes ou jusqu'à ce que le dessus du pain rebondisse lorsqu'on appuie légèrement au centre.

Conseil : *Si vous n'avez pas de poêle en fonte, faites cuire le pain de maïs dans un moule de 20 cm x 20 cm (8 po x 8 po) ou un moule à muffins. Vaporisez le moule d'enduit végétal et mettez le pain au four à 190 °C/375 °F/gaz 5 de 20 à 22 minutes (grand moule) ou de 13 à 15 minutes (muffins).*

INFORMATION NUTRITIONNELLE PAR PORTION (1 tranche) : Calories : 160 | Glucides : 21 g (Sucres : 2 g) | Gras total : 5 g (1,5 g sat.) | Protéines : 6 g | Fibres : 2 g | Cholestérol : 40 mg | Sodium : 290 mg | Équivalences alimentaires : 1 ½ Féculent, ½ Viande maigre | Choix de glucides : 1 ½ | Valeur PointsPlus Weight Watchers : 4

Muffins au fromage et aux macaronis

Les moules à muffins et à petits gâteaux sont très utiles pour faire des tartelettes, des petits pains de viande et ces mignons muffins au fromage et aux macaronis. Une bonne idée pour les pique-niques, les randonnées et les repas légers du midi.

250 g (8 oz) de petits coudes (macaronis secs)

240 g (2 tasses) de cheddar fort pauvre en matière grasse

2 c. à thé (à café) de fécule de maïs

250 ml (1 tasse) de lait pauvre en matière grasse

1 gros œuf

½ c. à thé (à café) de sel à l'ail

60 g (½ tasse) de chapelure panko

2 c. à thé (à café) de beurre, fondu

1. Préchauffer le four à 200 °C/400 °F/gaz 6. Tapisser un moule à muffins de 12 cavités de chemises de papier ou d'aluminium et vaporiser légèrement d'enduit végétal.

2. Cuire les pâtes en suivant les indications inscrites sur l'emballage. Égoutter et remettre dans la casserole. Ajouter le cheddar et remuer jusqu'à ce qu'il soit presque complètement fondu.

3. Dans un bol moyen, à l'aide d'un fouet, mélanger la fécule de maïs et le lait. Ajouter l'œuf et le sel à l'ail et battre jusqu'à consistance lisse. Verser sur les pâtes et bien mélanger.

4. Dans un petit bol, mélanger la chapelure et le beurre. Répartir la préparation de macaronis dans les moules (il est normal qu'elle soit humide). Saupoudrer chaque muffin avec 2 c. à thé (à café) de chapelure et cuire au four pendant 20 minutes.

INFORMATION NUTRITIONNELLE PAR PORTION (1 muffin) : Calories : 130 | Glucides : 18 g (Sucres : 2 g) | Gras total : 3 g (1 g sat.) | Protéines : 9 g | Fibres : 3 g | Cholestérol : 20 mg | Sodium : 210 mg | Équivalences alimentaires : 1 Féculent, 1 Viande maigre | Choix de glucides : 1 | Valeur PointsPlus Weight Watchers : 3

Poulet et dinde
à toutes les sauces

Poulet rôti bon à s'en lécher les doigts

Un fabuleux rôti prêt en moins d'une heure… qui dit mieux ? Il suffit d'ouvrir la volaille en deux, de la mettre dans un plat à rôtir et de la cuire dans un four très chaud. La peau deviendra croustillante et la chair très juteuse. N'hésitez pas à utiliser vos assaisonnements préférés pour faire changement.

1 poulet à rôtir de 2 kg (4 lb)

1 c. à soupe d'huile d'olive

¾ de c. à thé (à café) de sel épicé

½ c. à thé (à café) de poudre d'ail

½ c. à thé (à café) de romarin frais, haché finement

¼ de c. à thé (à café) de poivre du moulin (ou au goût)

1. Préchauffer le four à 230 °C/450 °F/gaz 8. Vaporiser le fond d'un plat à rôtir d'enduit végétal.

2. Retirer les abats, puis rincer l'intérieur et l'extérieur du poulet. Éponger avec du papier absorbant. Placer la volaille sur une planche à découper, poitrine vers le bas, et couper le long de la colonne vertébrale à l'aide d'un ciseau à volaille ou d'un couteau bien affûté. Retourner le poulet, ouvrir le dos et presser fermement sur la poitrine avec la paume de la main pour l'aplatir. Frotter le poulet avec l'huile et assaisonner avec le sel épicé, la poudre d'ail, le romarin et le poivre. (On peut aussi mettre des assaisonnements sous la peau.)

3. Placer le poulet dans le plat à rôtir, poitrine vers le haut, et cuire au four pendant 30 minutes. Vérifier la cuisson et couvrir la poitrine de papier d'aluminium si la peau est déjà bien dorée. Cuire pendant 15 minutes de plus ou jusqu'à ce qu'un jus clair s'écoule lorsqu'on pique le poulet. (Le thermomètre à viande inséré dans une cuisse doit indiquer entre 79 à 82 °C/175 à 180 °F.)

Conseil : *La valeur nutritive de ce plat peut varier selon la partie du poulet apprêtée. Une quantité de 100 g (3 ½ oz) de poitrine cuite (blanc) de poulet sans peau contient 140 calories et 3 g de gras. Une cuisse sans peau renferme environ 120 calories et 5 g de gras tandis qu'une aile avec peau renferme 100 calories et 6 g de gras.*

INFORMATION NUTRITIONNELLE PAR PORTION (100 g/3 ½ oz de chair blanche et brune) : Calories : 175 | Glucides : 0 g (Sucres : 0 g) | Gras total : 6 g (0,5 g sat.) | Protéines : 28 g | Fibres : 0 g | Cholestérol : 30 mg | Sodium : 25 mg | Équivalences alimentaires : 3 ½ Viande maigre | Choix de glucides : 0 | Valeur PointsPlus Weight Watchers : 4

Poulet frit à la sauce crémeuse

Incroyable mais vrai : ce poulet frit contient 75 % moins de gras et de sodium et plus de 50 % moins de glucides et de calories que celui vendu dans les grandes chaînes de restauration.

4 PORTIONS

Poulet frit

4 poitrines (blancs) de poulet désossées et sans peau (environ 500 g/1 lb)

6 c. à soupe de farine tout usage (type 55)

1 blanc d'œuf

125 ml (½ tasse) de babeurre

1 c. à thé (à café) de bicarbonate de soude

60 g (2 tasses) de céréales de flocons de maïs, broyées finement

½ c. à thé (à café) de poudre d'oignon

½ c. à thé (à café) de poudre d'ail

1 pincée de sel

⅓ de c. à thé (à café) de poivre du moulin

¼ de c. à thé (à café) de thym séché

1 c. à soupe d'huile de canola (colza)

Sauce crémeuse (voir page 166)

1. Préchauffer le four à 180 °C/350 °F/gaz 4. Envelopper les poitrines de poulet dans de la pellicule de plastique et les attendrir à l'aide de l'attendrisseur à viande jusqu'à ce qu'elles aient 1 cm (½ po) d'épaisseur. Réserver.

2. Mettre 2 c. à soupe de farine dans un bol peu profond. Dans un autre bol de même grosseur, à l'aide d'un fouet, mélanger le blanc d'œuf, le babeurre et le bicarbonate de soude. Dans un autre bol peu profond, mélanger les flocons de maïs, le reste de la farine, la poudre d'oignon, la poudre d'ail, le sel, le poivre et le thym.

3. Enrober uniformément le poulet de farine, puis le tremper dans l'œuf en laissant écouler l'excédent. Enrober ensuite le poulet de flocons de maïs. Dans une grande poêle antiadhésive allant au four, chauffer l'huile à feu moyen-vif. Cuire le poulet jusqu'à ce que le dessous soit bien doré. Vaporiser le dessus de la volaille d'enduit végétal et la retourner dans la poêle. Cuire pendant 2 minutes, puis terminer la cuisson au four de 5 à 6 minutes.

4. Entre-temps, préparer la sauce crémeuse. Servir une poitrine de poulet dans chacune des assiettes et napper chaque portion avec 60 ml (¼ de tasse) de sauce.

Sauce crémeuse

1 tranche de bacon, coupée en deux

2 c. à soupe de farine tout usage (type 55)

250 ml (1 tasse) de bouillon de poulet pauvre en sodium

1 pincée de poivre du moulin

1 pincée de thym séché

3 c. à soupe de crème 11,5 % ou fleurette

1 pincée de sel (facultatif)

1. Dans une petite casserole, à feu moyen, faire revenir le bacon jusqu'à ce qu'il devienne croustillant. Hacher finement et réserver.

2. Dans la même poêle, mettre la farine et verser lentement 125 ml (½ tasse) de bouillon en remuant jusqu'à consistance lisse. Ajouter le reste du bouillon et le poivre. Émietter finement le thym dans la sauce. Porter à ébullition, baisser le feu et laisser mijoter jusqu'à épaississement de 3 à 4 minutes en remuant à l'aide d'un fouet de temps à autre.

3. Incorporer la crème et le bacon réservé et laisser mijoter pendant 1 minute. Rectifier l'assaisonnement en sel au besoin. Servir 60 ml (¼ de tasse) de sauce avec chaque portion de poulet.

INFORMATION NUTRITIONNELLE PAR PORTION (60 ml/¼ de tasse) : Calories : 280 | Glucides : 22 g (Sucres : 3 g) | Gras total : 8 g (1 g sat.) | Protéines : 29 g | Fibres : 1 g | Cholestérol : 75 mg | Sodium : 600 mg | Équivalences alimentaires : 3 ½ Viande maigre, 1 ½ Féculent | Choix de glucides : 1 ½ | Valeur PointsPlus Weight Watchers :

Poulet au madère et à la mozzarella

Les asperges cuites à la vapeur font un excellent accompagnement pour ce plat, mais on peut aussi en ajouter quelques pointes cuites entre le poulet et la mozzarella à l'étape 4.

4 poitrines (blancs) de poulet désossées et sans peau (environ 500 g/1 lb)

Sel et poivre du moulin

1 c. à soupe d'huile de canola (colza)

240 g (3 tasses) de champignons de Paris, en tranches

80 g (½ tasse) d'oignons rouges, en petits dés

250 ml (1 tasse) de madère

180 ml (¾ de tasse) de bouillon de bœuf pauvre en sodium

2 c. à thé (à café) de fécule de maïs

2 c. à thé (à café) de miel, de cassonade ou de sucre roux

1 c. à thé (à café) d'assaisonnement à l'italienne

1 c. à thé (à café) de beurre

2 tranches de mozzarella partiellement écrémée, coupées en deux

1. Envelopper les poitrines de poulet dans de la pellicule de plastique et les attendrir à l'aide de l'attendrisseur à viande jusqu'à ce qu'elles aient 1 cm (½ po) d'épaisseur. Assaisonner avec ¼ de c. à thé (à café) de sel et ¼ de c. à thé (à café) de poivre.

2. Dans une grande poêle antiadhésive, à feu moyen-vif, chauffer 2 c. à thé (à café) d'huile et cuire le poulet de 4 à 5 minutes ou jusqu'à ce qu'il soit bien doré. Retourner et cuire pendant 3 minutes, sans plus. Réserver au chaud dans une assiette.

3. Dans la même poêle, à feu moyen, chauffer le reste de l'huile et cuire les champignons pendant 2 minutes. Ajouter les oignons et cuire pendant 3 minutes. Verser le madère et 125 ml (½ tasse) de bouillon et laisser mijoter jusqu'à évaporation des trois quarts du liquide.

4. Dans un petit bol, à l'aide d'un fouet, mélanger la fécule de maïs et le reste du bouillon. Verser dans la poêle, puis ajouter le miel, l'assaisonnement à l'italienne, une pincée de sel et ¼ de c. à thé (à café) de poivre. Laisser mijoter pendant 1 minute ou jusqu'à épaississement. Incorporer le beurre, remettre le poulet dans la poêle et couvrir chaque poitrine (blanc) de poulet avec un morceau de mozzarella. Couvrir et réchauffer à feu doux de 2 à 3 minutes ou jusqu'à ce que le fromage soit fondu. Servir le poulet dans des assiettes et napper de sauce.

INFORMATION NUTRITIONNELLE PAR PORTION : Calories : 330 | Glucides : 16 g (Sucres : 13 g) | Gras total : 10 g (2,5 g sat.) | Protéines : 28 g | Fibres : 1 g | Cholestérol : 85 mg | Sodium : 550 mg | Équivalences alimentaires : 4 Viande maigre, 1 Légume, ½ Glucide | Choix de glucides : 1 | Valeur PointsPlus Weight Watchers : 7

Poulet collant au miel et au citron

Du citron frais, du gingembre et du miel… personne ne voudra se lever de table tellement ce poulet est succulent. Faites-en une grande quantité puisqu'il est certain qu'on vous en redemandera.

4 PORTIONS

80 ml (⅓ de tasse) de jus de citron frais

8 g (⅓ de tasse) d'édulcorant sans calories en granulés

1 c. à soupe de miel

60 ml (¼ de tasse) de bouillon de poulet pauvre en sodium

1 ½ c. à soupe de sauce soja pauvre en sodium

½ c. à thé (à café) de gingembre, râpé

1 c. à soupe de fécule de maïs

8 cuisses de poulet désossées et sans peau, parées avec soin

2 c. à soupe de farine tout usage (type 55)

2 c. à thé (à café) d'huile de canola (colza)

3 oignons verts (parties blanche et verte séparées), en tranches

½ citron, en tranches fines

1. **Sauce :** dans une petite casserole, à l'aide d'un fouet, mélanger les sept premiers ingrédients (du jus de citron jusqu'à la fécule de maïs). Laisser mijoter et réduire légèrement à feu doux jusqu'à ce que la sauce soit claire. Retirer du feu et réserver.

2. Fariner le poulet et retirer l'excédent.

3. Dans une grande poêle antiadhésive, à feu moyen-vif, chauffer l'huile et cuire le poulet de 4 à 5 minutes de chaque côté ou jusqu'à ce qu'il soit bien doré.

4. À feu moyen-doux, mettre la partie blanche et la moitié de la partie verte des oignons verts sur le poulet. Verser la sauce réservée et laisser mijoter de 3 à 4 minutes ou jusqu'à ce que la sauce épaississe et que la cuisson du poulet soit terminée. Mettre les tranches de citron dans la sauce et cuire pendant 2 minutes. Ajouter le reste des oignons verts et garnir de tranches de citron additionnelles au goût.

INFORMATION NUTRITIONNELLE PAR PORTION (2 cuisses) : Calories : 235 | Glucides : 11 g (Sucres : 5 g) | Gras total : 7 g (2 g sat.) | Protéines : 28 g | Fibres : 0 g | Cholestérol : 125 mg | Sodium : 420 mg | Équivalences alimentaires : 4 Viande maigre, 1 Glucide | Choix de glucides : 1 | Valeur PointsPlus Weight Watchers : 5

Poulet au vinaigre balsamique

Voici une recette on ne peut plus simple qui ne demande que quelques ingrédients que vous avez probablement déjà dans votre garde-manger.

80 ml (⅓ de tasse) de vinaigre balsamique

80 ml (⅓ de tasse) de bouillon de poulet

1 pincée de thym séché

2 c. à thé (à café) de sucre ou de miel

1 c. à thé (à café) de beurre

4 poitrines (blancs) de poulet désossées et sans peau (environ 500 g/1 lb)

1 c. à soupe de farine tout usage (type 55)

Sel et poivre du moulin

2 c. à thé (à café) d'huile d'olive

1 c. à soupe d'eau

1. Dans une très petite casserole, mélanger le vinaigre balsamique, le bouillon, le thym et le sucre. Laisser mijoter à feu doux, en remuant de temps à autre, de 8 à 10 minutes ou jusqu'à réduction de moitié (consistance sirupeuse). Incorporer le beurre, retirer du feu et réserver au chaud.

2. Entre-temps, envelopper les poitrines de poulet dans de la pellicule de plastique et les attendrir à l'aide de l'attendrisseur à viande jusqu'à ce qu'elles aient 1 cm (½ po) d'épaisseur. Fariner légèrement et saler et poivrer au goût.

3. Dans une poêle antiadhésive moyenne, à feu moyen-vif, chauffer l'huile et cuire le poulet de 3 à 4 minutes d'un côté ou jusqu'à ce qu'il soit bien doré. Retourner le poulet et cuire à feu moyen pendant 2 minutes. Ajouter l'eau dans la poêle, couvrir et cuire pendant 2 minutes ou jusqu'à ce que la cuisson de la volaille soit terminée. Servir dans des assiettes et napper chaque portion avec 1 ½ c. à soupe de sauce au vinaigre balsamique.

INFORMATION NUTRITIONNELLE PAR PORTION : Calories : 220 | Glucides : 7 g (Sucres : 1 g) | Gras total : 7 g (4 g sat.) | Protéines : 31 g | Fibres : 0 g | Cholestérol : 90 mg | Sodium : 220 mg | Équivalences alimentaires : 4 ½ Viande maigre, ½ Glucide | Choix de glucides : ½ | Valeur PointsPlus Weight Watchers : 6

Poulet du général Tao

La préparation de ce plat prend peu de temps même si la liste des ingrédients semble longue. Un grand délice qui ne compte que 300 calories par portion !

250 ml (1 tasse) de bouillon de poulet pauvre en sodium

2 c. à soupe de sauce soja pauvre en sodium

1 c. à soupe de vinaigre de riz

4 c. à thé (à café) de fécule de maïs

3 c. à soupe d'édulcorant sans calories en granulés

1 c. à soupe de cassonade ou de sucre roux

1 c. à soupe d'ail, haché finement

1 c. à thé (à café) de ketchup

¼ de c. à thé (à café) de flocons de piment

80 g (½ tasse) d'oignons, en tranches

600 g (3 tasses) de petits fleurons de brocoli

2 c. à soupe d'eau

40 g (¼ de tasse) de farine tout usage (type 55)

¼ de c. à thé (à café) de poivre du moulin

480 g (3 tasses) de poitrines (blancs) de poulet, coupées en morceaux de 2,5 cm (1 po)

1 œuf, battu

2 c. à soupe d'huile de canola (colza)

1. **Sauce :** dans un bol moyen, à l'aide d'un fouet, bien mélanger les neuf premiers ingrédients (du bouillon jusqu'aux flocons de piment). Ajouter les oignons et réserver.

2. Mettre le brocoli et l'eau dans un bol convenant au micro-ondes. Couvrir et cuire à puissance maximale pendant 2 minutes. Réserver.

3. Dans un petit bol, mélanger la farine et le poivre. Tremper le poulet dans l'œuf et laisser écouler l'excédent. Enrober ensuite la volaille de farine.

4. Dans une grande poêle ou un grand wok antiadhésif, à feu moyen-vif, chauffer 1 c. à soupe d'huile et cuire la moitié du poulet de 4 à 5 minutes ou jusqu'à ce qu'il soit complètement cuit et bien doré. Réserver dans un bol et couvrir. Chauffer le reste de l'huile et cuire le reste du poulet de la même façon.

5. Mélanger la sauce à l'aide d'un fouet, verser dans la poêle et remuer jusqu'à ce qu'elle épaississe et devienne plus claire. Ajouter le poulet et le brocoli, bien remuer et réchauffer de 1 à 2 minutes environ.

INFORMATION NUTRITIONNELLE PAR PORTION (240 g/ 1 ½ tasse) : Calories : 300 | Glucides : 19 g (Sucres : 6 g) | Gras total : 12 g (1 g sat.) | Protéines : 29 g | Fibres : 3 g | Cholestérol : 125 mg | Sodium : 510 mg | Équivalences alimentaires : 3 ½ Viande maigre, 1 Légume, 1 Féculent, ½ Gras | Choix de glucides : 1 | Valeur PointsPlus Weight Watchers : 8

Casserole de dinde et de riz aux haricots verts

On peut remplacer la dinde par du poulet dans cette recette qui met aussi en vedette des champignons frais et des châtaignes d'eau au bon goût de sauce soja.

2 c. à thé (à café) d'huile de canola (colza)

625 g (1 ¼ lb) de poitrines (blancs) de dinde désossées et sans peau, en cubes de 2,5 cm (1 po)

120 g (1 ½ tasse) de champignons, en tranches

1 gousse d'ail, hachée finement

2 c. à soupe de xérès

1 boîte de crème de poulet pauvre en matière grasse d'environ 284 ml (10 oz)

125 ml (½ tasse) de lait évaporé (lait concentré non sucré) pauvre en matière grasse

2 c. à soupe de sauce soja pauvre en sodium

250 ml (1 tasse) d'eau

300 g (1 ½ tasse) de riz brun à cuisson rapide non cuit

160 g (1 tasse) de tranches de châtaignes d'eau en conserve, égouttées

500 g (2 ½ tasses) de haricots verts en morceaux, décongelés

Sel et poivre du moulin

1. Dans une grande poêle antiadhésive, à feu moyen-vif, chauffer l'huile et cuire la dinde pendant 3 minutes. Ajouter les champignons et l'ail et cuire pendant 2 minutes ou jusqu'à ce que les champignons soient tendres.

2. Verser le xérès et bien enrober la dinde et les champignons. Ajouter la crème de poulet, le lait évaporé, la sauce soja et l'eau. Bien mélanger, puis ajouter le riz et les châtaignes d'eau. Porter à ébullition, couvrir et cuire à feu moyen-doux pendant 5 minutes.

3. Retirer le couvercle, ajouter les haricots verts et laisser mijoter de 12 à 15 minutes ou jusqu'à ce que la cuisson du riz soit terminée. Saler et poivrer au goût.

INFORMATION NUTRITIONNELLE PAR PORTION (240 g/1 ½ tasse) : Calories: 395 | Glucides: 47 g (Sucres: 8 g) | Gras total: 5 g (1 g sat.) | Protéines: 40 g | Fibres: 6 g | Cholestérol: 90 mg | Sodium: 590 mg | Équivalences alimentaires: 4 Viande maigre, 3 Féculents, 1 Légume | Choix de glucides: 3 | Valeur PointsPlus Weight Watchers: 10

Poulet sauté aux noix de cajou et au cari

Des légumes colorés en abondance, des noix de cajou bien croquantes et une sauce légèrement sucrée remarquable… pourquoi aller au restaurant quand on peut préparer un tel plat chez soi en si peu de temps ?

480 g (3 tasses) de poitrines (blancs) de poulet désossées et sans peau, en cubes

2 c. à thé (à café) de poudre de cari

¼ de c. à thé (à café) de sel

1 c. à soupe de jus de citron

6 c. à soupe de confiture d'abricots pauvre en sucre

250 ml (1 tasse) d'eau

3 c. à thé (à café) d'huile de canola (colza)

1 gousse d'ail, émincée

640 g (4 tasses) de pois sucrés frais

2 carottes moyennes, en lanières

½ oignon rouge moyen, en lanières

30 g (¼ de tasse) de noix de cajou, hachées

1. Assaisonner le poulet avec 1 c. à thé (à café) de cari et une pincée de sel. Réserver.

2. Dans un petit bol, mélanger le reste du cari, une pincée de sel, le jus de citron, la confiture et 180 ml (¾ de tasse) d'eau. Réserver.

3. Dans une grande poêle antiadhésive, verser 2 c. à thé (à café) d'huile et cuire le poulet de 4 à 5 minutes ou jusqu'à ce qu'il soit doré et presque complètement cuit. Garder au chaud dans une assiette.

4. Mettre le reste de l'huile et l'ail dans la poêle. Ajouter les pois, les carottes et l'oignon, puis faire sauter pendant 1 minute. Verser le reste de l'eau, couvrir et cuire à la vapeur pendant 3 minutes. Remettre le poulet et la sauce dans la poêle. Chauffer rapidement en remuant. Servir dans un grand plat et garnir de noix de cajou.

Conseil : *Si vous pouvez vous le permettre, ajoutez quelques noix de cajou de plus dans la recette. Même si elles sont riches en calories, des recherches indiquent que les personnes qui mangent des noix au moins deux fois par semaine sont moins sujettes au surplus de poids. L'important est d'en consommer avec modération, soit 30 g (¼ de tasse) par portion.*

INFORMATION NUTRITIONNELLE PAR PORTION (240 g/1 ½ tasse) : Calories : 310 | Glucides : 25 g (Sucres : 15 g) | Gras total : 11 g (1 g sat.) | Protéines : 29 g | Fibres : 5 g | Cholestérol : 70 mg | Sodium : 360 mg | Équivalences alimentaires : 4 Viande maigre, 3 Légumes, ½ Glucide, ½ Gras | Choix de glucides : 1 ½ | Valeur PointsPlus Weight Watchers : 8

Brochettes de dinde et sauce au concombre

Cette recette est aussi superbe avec du filet d'agneau, de la poitrine (blanc) de poulet ou du bœuf maigre. Les courgettes et les poivrons sont aussi toujours bienvenus sur ce type de brochettes. Ayez la bonne idée de faire un peu plus de sauce au concombre que prévu et servez-la avec des crudités avant le repas.

4 PORTIONS

1 petit concombre, pelé et épépiné

180 g (¾ de tasse) de yogourt nature grec pauvre en matière grasse ou écrémé

60 g (¼ de tasse) de crème sure ou aigre allégée

3 gousses d'ail, hachées finement

3 c. à thé (à café) d'huile d'olive

2 c. à thé (à café) de jus de citron

1 pincée de sel

½ c. à thé (à café) de moutarde de Dijon

1 c. à soupe de vinaigre de vin rouge

1 c. à thé (à café) d'origan séché

¼ de c. à thé (à café) de poivre du moulin

1 pincée de sel

625 g (1 ¼ lb) de filet de dinde, coupé en morceaux de 4 cm (1 ½ po)

24 tomates cerises

1 petit oignon rouge, coupé en carrés de 4 cm (1 ½ po)

1. Dans un petit bol, mélanger le concombre, le yogourt, la crème sure, 1 c. à thé (à café) d'ail, 1 c. à thé (à café) d'huile, le jus de citron et le sel. Couvrir et réfrigérer.

2. Dans un bol moyen, mélanger la moutarde, le vinaigre, le reste de l'ail, 2 c. à thé (à café) d'huile, l'origan, le poivre et le sel. Ajouter la dinde et bien remuer. Laisser mariner au réfrigérateur pendant 15 minutes.

3. Préchauffer le gril à température moyenne-élevée. Sur chacune des brochettes, faire alterner des morceaux de dinde, des tomates et des morceaux d'oignon. Cuire sur le gril de 6 à 7 minutes, en retournant les brochettes à mi-cuisson, ou jusqu'à ce que la cuisson de la dinde soit terminée. Servir avec la sauce au concombre.

Conseil : *La sauce au concombre, aussi appelée* tzatziki, *est excellente avec des crudités ou comme sauce pour les sandwichs préparés dans des pitas. Si vous la faites à l'avance, n'employez que deux gousses d'ail puisque le goût de l'ail a tendance à devenir plus prononcé avec le temps.*

INFORMATION NUTRITIONNELLE PAR PORTION : Calories : 250 | Glucides : 10 g (Sucres : 7 g) | Gras total : 7 g (2 g sat.) | Protéines : 36 g | Fibres : 2 g | Cholestérol : 95 mg | Sodium : 260 mg | Équivalences alimentaires : 4 ½ Viande maigre, 1 ½ Lait pauvre en matière grasse, ½ Légume | Choix de glucides : ½ | Valeur PointsPlus Weight Watchers : 6

Bœuf maigre, porc, poisson et fruits de mer

Pain de viande au cheddar

Cette recette permet de faire deux repas pour le prix d'un. Si on ne fait pas cuire les deux pains de viande en même temps, on peut conserver le reste de la préparation au réfrigérateur pendant 2 jours ou la congeler pendant 2 semaines. Si vous aimez servir le pain de viande avec du ketchup, faites une sauce en mélangeant 3 c. à soupe de ketchup, 1 c. à thé (à café) de mélasse et ½ c. à thé (à café) d'arôme de fumée liquide.

10 PORTIONS

1 petit oignon, en dés

625 g (1 ¼ lb) de dinde hachée extra maigre

375 g (12 oz) de bœuf haché maigre

120 g (½ tasse) de cottage pauvre en matière grasse

2 gros œufs

½ poivron vert moyen, en dés

90 g (¾ de tasse) de chapelure sèche

60 ml (¼ de tasse) de ketchup

60 ml (¼ de tasse) de vin rouge ou de bouillon de bœuf

2 c. à thé (à café) de moutarde de Dijon

½ c. à thé (à café) de poivre du moulin

½ c. à thé (à café) de sel

60 g (½ tasse) de cheddar fort pauvre en matière grasse, râpé

1. Préchauffer le four à 180 °C/350 °F/gaz 4.

2. Mettre l'oignon dans un petit bol convenant au micro-ondes. Couvrir et cuire à puissance maximale pendant 1 minute. Transvider dans un grand bol et ajouter le reste des ingrédients. Pétrir à l'aide d'une cuillère ou à la main pour bien amalgamer le tout. Diviser la préparation en deux. Façonner deux pains de 20 cm (8 po) de longueur et de 10 cm (4 po) de largeur. (Si on préfère cuire un seul pain à la fois, façonner un pain, envelopper le reste de la préparation et réserver au réfrigérateur ou au congélateur.) Disposer les pains de viande sur une plaque à pâtisserie tapissée de papier d'aluminium.

3. Couvrir de papier d'aluminium sans serrer et cuire au four pendant 20 minutes. Retirer le papier et cuire de 25 à 30 minutes ou jusqu'à ce que les pains soient bien dorés et que le thermomètre à viande inséré au centre indique 74 °C (165 °F). Laisser reposer pendant 10 minutes avant de servir.

Conseil : *Si vous réfrigérez ou congelez une partie de la préparation pour un usage ultérieur, le moment venu vous n'aurez qu'à la façonner en forme de pain et à la laisser reposer à température ambiante pendant 20 minutes avant de procéder à la cuisson. Il est possible que le temps de cuisson doive être prolongé d'une quinzaine de minutes. Si la préparation a été congelée, laissez-la décongeler au réfrigérateur pendant toute la nuit avant de façonner le pain et de le mettre au four.*

INFORMATION NUTRITIONNELLE PAR PORTION (le cinquième d'un pain de viande) : Calories: 195 | Glucides : 9 g (Sucres : 2 g) | Gras total : 8 g (2 g sat.) | Protéines : 23 g | Fibres : 1 g | Cholestérol : 30 mg | Sodium : 340 mg | Équivalences alimentaires : 3 Viande maigre, ½ Féculent | Choix de glucides : ½ | Valeur PointsPlus Weight Watchers : 4

Côtelettes de porc glacées au sirop d'érable

Pour un repas sans pareil, servez ces côtelettes avec la purée de patates douces épicée (page 155).

4 côtelettes de porc minces désossées de 150 g (5 oz) chacune (coupe du centre)

Sel et poivre du moulin

2 tranches de bacon

1 grosse échalote, hachée finement

1 pincée de thym séché

80 ml (⅓ de tasse) de sirop d'érable

3 c. à soupe de vinaigre de cidre

1 c. à thé (à café) de cassonade ou de sucre roux

¾ de c. à thé (à café) de moutarde de Meaux ou de Dijon

1. Éponger les côtelettes de porc avec du papier absorbant et saler et poivrer au goût. Dans une grande poêle antiadhésive, à feu vif, cuire le bacon de 3 à 4 minutes. Émietter et réserver dans un bol. Retirer le gras de la poêle, sauf 1 c. à soupe.

2. Dans la même poêle, cuire les côtelettes de porc pendant 2 minutes ou jusqu'à ce qu'elles soient bien dorées. Retourner et cuire de 3 à 4 minutes de plus. Réserver au chaud dans une assiette.

3. Cuire l'échalote et le thym dans la poêle à feu moyen-vif pendant 2 minutes ou jusqu'à ce que l'échalote soit tendre et légèrement dorée. Ajouter le reste des ingrédients, sauf le bacon, et laisser mijoter pendant 2 minutes ou jusqu'à ce que la préparation commence à bouillonner. (Pour allonger la sauce, ajouter les jus accumulés dans l'assiette de viande.) Saler et poivrer au besoin.

4. Verser la sauce sur la viande et garnir de bacon.

INFORMATION NUTRITIONNELLE PAR PORTION : Calories : 210 | Glucides : 3 g (Sucres : 1 g) | Gras total : 10 g (2 g sat.) | Protéines : 33 g | Fibres : 0 g | Cholestérol : 90 mg | Sodium : 260 mg | Équivalences alimentaires : 4 Viande maigre | Choix de glucides : 0 | Valeur PointsPlus Weight Watchers : 6

Filets mignons aux champignons

Ce plat est idéal pour les occasions spéciales. La coupe de viande est très tendre et la cuisson à la poêle permet de faire une sauce vraiment unique. Un vrai régal !

80 ml (⅓ de tasse) de crème 11,5 % ou fleurette

1 ½ c. à thé (à café) de fécule de maïs

4 filets mignons de 150 g (5 oz) et de 2,5 cm (1 po) d'épaisseur chacun

Sel et poivre du moulin

2 c. à thé (à café) de beurre

80 g (1 tasse) de champignons, en tranches

1 c. à soupe d'échalotes, hachées finement

80 ml (⅓ de tasse) de bouillon de bœuf pauvre en sodium

1 c. à soupe de brandy ou de xérès sec

½ c. à thé (à café) de moutarde de Dijon

2 c. à thé (à café) de sauce Worcestershire

1 citron, en quartiers (facultatif)

Persil frais, haché finement

1. Dans un petit bol, à l'aide d'un fouet, mélanger la crème et la fécule de maïs. Réserver.

2. Éponger la viande avec du papier absorbant et saler et poivrer au goût. Dans une poêle antiadhésive, à feu moyen-vif, chauffer la moitié du beurre et cuire les filets mignons pendant 5 minutes de chaque côté pour une cuisson mi-saignante (63 °C/145 °F) ou de 6 à 7 minutes de chaque côté pour une cuisson à point (68 °C/155 °F). Réserver au chaud dans une assiette.

3. Dans la même poêle, chauffer le reste du beurre et cuire les champignons et les échalotes pendant 3 minutes. Verser le bouillon et le brandy et déglacer la poêle. Verser la crème réservée et cuire de 3 à 4 minutes ou jusqu'à ce que la sauce épaississe. Retirer du feu et incorporer la moutarde et la sauce Worcestershire.

4. Presser un quartier de citron sur chaque filet mignon et napper avec 60 ml (¼ de tasse) de sauce. Garnir de persil au goût.

INFORMATION NUTRITIONNELLE PAR PORTION (1 filet mignon avec sauce) : Calories : 265 | Glucides : 6 g (Sucres : 2 g) | Gras total : 12 g (4,5 g sat.) | Protéines : 30 g | Fibres : 1 g | Cholestérol : 90 mg | Sodium : 260 mg | Équivalences alimentaires : 4 Viande maigre, 1 Gras | Choix de glucides : ½ | Valeur PointsPlus Weight Watchers : 7

Bœuf au poivron rouge et au gingembre

La sauce est très sucrée. Si ça ne vous plaît pas, employez une quantité moindre d'édulcorant.

3 c. à soupe de sauce soja pauvre en sodium

1 c. à soupe de xérès sec

6 g (¼ de tasse) d'édulcorant sans calories en granulés

1 c. à soupe de mélasse

2 c. à thé (à café) de fécule de maïs

1 c. à soupe d'ail, haché finement

½ c. à thé (à café) de gingembre, haché finement

80 ml (⅓ de tasse) d'eau

500 g (1 lb) de surlonge de bœuf maigre désossée

1 c. à soupe de fécule de maïs

2 c. à thé (à café) d'huile de canola (colza)

2 carottes moyennes, en julienne

1 petit poivron rouge, en lanières de 5 mm (¼ de po)

4 oignons verts entiers, coupés en biais en tranches de 5 mm (¼ de po) d'épaisseur

2 c. à thé (à café) d'huile de sésame

1. Dans une petite casserole, mélanger les sept premiers ingrédients (de la sauce soja jusqu'au gingembre). Ajouter l'eau et chauffer de 1 à 2 minutes. Retirer du feu et réserver.

2. Découper la viande dans le sens transversal en tranches très fines de 3 mm (⅛ de po) d'épaisseur, puis la mélanger légèrement avec 1 c. à soupe de fécule de maïs. Dans un wok ou un grand plat à sauter antiadhésif, à feu moyen-vif, chauffer l'huile et faire revenir la viande de 30 à 60 secondes ou jusqu'à ce qu'elle perde sa couleur rosée. Réserver dans une assiette.

3. Dans le même wok, faire sauter les carottes et le poivron pendant 2 minutes. Ajouter la sauce réservée et les oignons verts, couvrir et cuire pendant 2 minutes. Retirer le couvercle et laisser mijoter pendant 1 minute ou jusqu'à ce que la sauce épaississe légèrement. Remettre la viande dans le wok, ajouter l'huile de sésame et bien mélanger.

INFORMATION NUTRITIONNELLE PAR PORTION (200 g/1 tasse généreuse) : Calories : 300 | Glucides : 15 g (Sucres : 6 g) | Gras total : 13 g (4,5 g sat.) | Protéines : 32 g | Fibres : 2 g | Cholestérol : 90 mg | Sodium : 490 mg | Équivalences alimentaires : 4 Viande maigre, 1 Légume, ½ Glucide, ½ Gras | Choix de glucides : 1 | Valeur PointsPlus Weight Watchers : 7

Casserole de porc aux poivrons

Le filet de porc est tendre à souhait et les légumes créent un arc-en-ciel de couleurs appétissantes. Quant aux piments pepperoncinis, ils s'allient magnifiquement aux assaisonnements.

4 PORTIONS

½ c. à thé (à café) de sel

¾ de c. à thé (à café) de poivre du moulin

2 c. à thé (à café) de graines de fenouil, broyées

2 c. à thé (à café) d'origan

1 c. à thé (à café) de poudre d'ail

1 c. à thé (à café) de paprika

500 g (1 lb) de filet de porc

2 c. à thé (à café) + 1 c. à soupe d'huile d'olive

320 g (2 tasses) d'oignons jaunes, en tranches de 5 mm (¼ de po)

3 gousses d'ail, hachées finement

2 poivrons verts moyens, en tranches de 1 cm (½ po)

1 poivron rouge ou jaune moyen, en tranches de 1 cm (½ po)

1 c. à thé (à café) de romarin frais, haché

2 c. à soupe de vermouth rouge ou d'eau

20 g (¼ de tasse) de piments pepperoncinis, en tranches fines

1. Dans un petit bol, mélanger les six premiers ingrédients (du sel jusqu'au paprika). Couper le filet de porc en 12 tranches de même grosseur (1 à 2 cm/½ à ¾ de po de largeur chacune). Enrober uniformément avec le mélange d'assaisonnements.

2. Dans un grand plat à sauter, à feu moyen-vif, chauffer 2 c. à thé (à café) d'huile et saisir la viande pendant 2 minutes de chaque côté ou jusqu'à ce qu'elle soit dorée (le centre doit rester rosé). Réserver dans une assiette.

3. Verser le reste de l'huile dans le plat à sauter et faire sauter les oignons et l'ail à feu moyen pendant 3 minutes. Ajouter les poivrons, le romarin et le vermouth. Cuire de 7 à 8 minutes en remuant les poivrons jusqu'à ce qu'ils soient tendres mais encore un peu croquants. Ajouter les piments et cuire pendant 1 minute.

4. Remettre la viande dans le plat à sauter. Couvrir et cuire à feu doux pendant 5 minutes ou jusqu'à ce que les poivrons soient tendres et que la cuisson de la viande soit terminée.

INFORMATION NUTRITIONNELLE PAR PORTION (3 morceaux de viande et des poivrons) : Calories : 250 | Glucides : 13 g (Sucres : 7 g) | Gras total : 10 g (2,5 g sat.) | Protéines : 25 g | Fibres : 3 g | Cholestérol : 75 mg | Sodium : 380 mg | Équivalences alimentaires : 3 ½ Viande maigre, 2 Légumes | Choix de glucides : 1 | Valeur PointsPlus Weight Watchers : 6

Crevettes à l'ail et au piment

Tous les amateurs de crevettes raffoleront de ce plat qui rappelle le goût exquis des langoustines. À 240 calories par portion, qui dit mieux?

2 oignons verts (parties blanche et verte), en tranches fines

4 gousses d'ail, hachées finement

125 ml (½ tasse) de vin blanc sec

Le jus de 1 citron

2 c. à soupe de beurre

1 pincée de flocons de piment (ou au goût)

Sel et poivre du moulin

625 g (1 ¼ lb) de crevettes moyennes, décortiquées et déveinées

1. Vaporiser une grande poêle antiadhésive d'enduit végétal et chauffer à feu moyen. Faire sauter les oignons verts pendant 2 minutes. Ajouter l'ail et faire sauter 1 minute.

2. Ajouter le vin, le jus de citron, le beurre et le piment. Saler et poivrer au goût et laisser mijoter jusqu'à réduction de moitié.

3. Ajouter les crevettes et cuire de 1 à 2 minutes de chaque côté (les retourner dès qu'un côté devient rosé). Mélanger la sauce pour bien incorporer le jus des crevettes aux autres ingrédients. Poivrer au goût et servir aussitôt.

Conseil: *Les crevettes contiennent beaucoup de cholestérol, mais des études ont démontré que c'est le gras saturé et non le cholestérol qui augmente les risques de maladie cardiaque. On ne met que 2 c. à soupe de beurre pour 4 portions, une quantité bien moindre que ce que l'on utilise dans les restaurants. On peut dire sans exagérer qu'il s'agit d'une recette santé.*

INFORMATION NUTRITIONNELLE PAR PORTION : Calories : 240 | Glucides : 5 g (Sucres : 1 g) | Gras total : 8 g (4 g sat.) | Protéines : 29 g | Fibres : 1 g | Cholestérol : 230 mg | Sodium : 290 mg | Équivalences alimentaires : 4 Viande maigre, 1 Gras | Choix de glucides : 0 | Valeur PointsPlus Weight Watchers : 5

Filets de poisson en croûte d'amandes

Le mélange d'amandes hachées et de chapelure donne une croûte sublime qui rehausse efficacement la saveur du poisson. Vous pouvez remplacer le tilapia par un autre poisson à chair blanche et les amandes par vos noix préférées.

4 PORTIONS

500 g (1 lb) de filets frais ou décongelés de tilapia ou d'un autre poisson à chair blanche

4 c. à thé (à café) de dijonnaise (mélange de mayonnaise et de moutarde de Dijon)

1 c. à thé (à café) de miel

30 g (¼ de tasse) d'amandes, hachées finement

30 g (¼ de tasse) de chapelure panko

¼ de c. à thé (à café) de poudre d'ail

½ c. à thé (à café) de sel

¼ de c. à thé (à café) de poivre du moulin

½ c. à thé (à café) d'aneth séché

1. Préchauffer le four à 220 °C/425 °F/gaz 7. Vaporiser une plaque à pâtisserie d'enduit végétal. Éponger les filets de poisson avec du papier absorbant. Mélanger la dijonnaise et le miel et en étaler 1 c. à thé (à café) d'un seul côté des filets.

2. Dans un petit bol, mélanger le reste des ingrédients. Saupoudrer uniformément le poisson de chapelure du même côté que la dijonnaise. Presser légèrement la chapelure pour qu'elle adhère bien à la chair. Disposer le tilapia sur la plaque à pâtisserie, côté pané vers le haut, puis le vaporiser légèrement d'enduit végétal.

3. Cuire au four pendant 10 minutes ou jusqu'à ce que le poisson soit doré et s'effeuille facilement à l'aide d'une fourchette.

Conseil : *Ayez toujours du poisson surgelé au congélateur. Il vous sera ainsi plus facile de manger deux repas de poisson par semaine tel que le recommandent les diététistes. Si le poisson est emballé dans un sac scellé, placez celui-ci dans l'eau chaude environ 15 minutes pour le faire décongeler.*

INFORMATION NUTRITIONNELLE PAR PORTION (1 filet) : Calories : 200 | Glucides : 7 g (Sucres : 2 g) | Gras total : 8 g (1,5 g sat.) | Protéines : 26 g | Fibres : 1 g | Cholestérol : 25 mg | Sodium : 470 mg | Équivalences alimentaires : 4 Viande maigre, ½ Féculent | Choix de glucides : ½ | Valeur PointsPlus Weight Watchers : 5

Tilapia pané tout simple

Ce repas du soir prêt en 30 minutes seulement est encore meilleur avec de la salsa et du riz au maïs parfumé à la lime (page 156).

4 PORTIONS

Le zeste et le jus de 1 lime (citron vert)

2 c. à soupe de mayonnaise allégée

500 g (1 lb) de filets de tilapia

125 g (1 ¼ tasse) de craquelins au fromage pauvres en matière grasse

1 c. à soupe d'assaisonnement pour tacos pauvre en sodium

1 pincée de piment de Cayenne

2 c. à soupe de fécule de maïs

Salsa (facultatif)

1. Préchauffer le four à 230 °C/450 °F/gaz 8. Vaporiser une plaque à pâtisserie d'enduit végétal.

2. Dans un bol peu profond, mettre le zeste et le jus de lime. À l'aide d'un fouet, incorporer la mayonnaise. Laisser mariner les filets de tilapia dans ce mélange pendant 5 minutes.

3. Mettre les craquelins dans un sac de plastique et les broyer à l'aide du rouleau à pâtisserie. Étaler les miettes dans une assiette et bien mélanger avec l'assaisonnement pour tacos, le piment de Cayenne et la fécule de maïs.

4. Enrober uniformément les filets de poisson de chapelure et les disposer au fur et à mesure sur la plaque à pâtisserie. Cuire au four pendant 5 minutes. Retourner les filets et cuire de 5 à 7 minutes de plus ou jusqu'à ce qu'ils s'effeuillent facilement à l'aide d'une fourchette. Accompagner de salsa au goût.

INFORMATION NUTRITIONNELLE PAR PORTION (1 filet) : Calories : 250 | Glucides : 18 g (Sucres : 1 g) | Gras total : 9 g (3,5 g sat.) | Protéines : 26 g | Fibres : 1 g | Cholestérol : 30 mg | Sodium : 295 mg | Équivalences alimentaires : 3 ½ Viande maigre, 1 Féculent | Choix de glucides : 1 | Valeur PointsPlus Weight Watchers : 7

Saumon grillé, sauce aux framboises et au piment

Les framboises surgelées font l'affaire dans cette recette idéale pour recevoir des amis à la maison.

4 PORTIONS

120 g (¾ de tasse) de framboises non sucrées surgelées

60 g (¼ de tasse) de confiture de framboises sans sucre

1 c. à soupe de vinaigre de riz

1 c. à soupe de cassonade ou de sucre roux

4 c. à thé (à café) de sauce soja

1 c. à thé (à café) de piment chipotle en sauce adobo, haché (ou plus, au goût)*

4 filets de saumon de 150 g (5 oz) chacun, rincés et épongés

1. **Sauce :** dans une petite casserole, porter à ébullition les six premiers ingrédients (des framboises jusqu'au piment). Laisser mijoter à feu doux pendant 3 minutes. Retirer du feu et réserver.

2. Sur la grille du barbecue, faire griller le saumon à température élevée environ 5 minutes de chaque côté (pour des filets de 2,5 cm/1 po d'épaisseur) ou jusqu'à ce que la chair s'effeuille facilement à l'aide d'une fourchette.

3. Servir le saumon dans des assiettes et napper de sauce.

Conseil : *Les piments chipotle en conserve sont en fait des piments jalapenos fumés. Il suffit d'une toute petite quantité pour rehausser agréablement tout un plat. Ils se congèlent facilement et confèrent un bon goût fumé et piquant à plusieurs préparations culinaires. On peut aussi en mettre un peu dans la mayonnaise.*

* *On peut remplacer le piment par 1 c. à thé (à café) de tabasco au piment chipotle.*

INFORMATION NUTRITIONNELLE PAR PORTION : Calories : 250 | Glucides : 8 g (Sucres : 2 g) | Gras total : 11 g (2,5 g sat.) | Protéines : 31 g | Fibres : 2 g | Cholestérol : 70 mg | Sodium : 410 mg | Équivalences alimentaires : 4 Viande mi-maigre, ½ Fruit | Choix de glucides : ½ | Valeur PointsPlus Weight Watchers : 6

Crevettes aux noix et au miel

Avertissement : ce plat crée une véritable dépendance dès qu'on le goûte pour la première fois. Régalez-vous !

1 gros œuf

3 c. à thé (à café) de miel

60 g (½ tasse) de moitiés de noix de Grenoble

3 c. à soupe d'édulcorant sans calories en granulés

2 c. à soupe de mayonnaise allégée

2 c. à soupe de crème sure ou aigre allégée

½ c. à thé (à café) de jus de citron

500 g (1 lb) de crevettes géantes, décortiquées et déveinées

40 g (¼ de tasse) de farine tout usage (type 55)

1 c. à soupe d'huile de canola (colza)

600 g (3 tasses) de chou vert ou de chou nappa, râpé finement

1. Préchauffer le four à 180 °C/350 °F/gaz 4. Dans un bol moyen, à l'aide d'un fouet, battre l'œuf jusqu'à ce qu'il devienne léger et mousseux. Dans un petit bol, mettre 1 c. à thé (à café) d'œuf battu et ½ c. à thé (à café) de miel. Ajouter les noix et bien mélanger. Ajouter 2 c. à soupe d'édulcorant et bien mélanger. Étaler les noix sur une plaque à pâtisserie et cuire au four de 8 à 10 minutes ou jusqu'à ce qu'elles soient dorées. Réserver.

2. **Sauce :** dans un grand bol, mélanger la mayonnaise, la crème sure et le jus de citron avec le reste de l'édulcorant et du miel. Réserver.

3. Tremper les crevettes dans l'œuf une à une, puis les fariner. Dans une grande poêle antiadhésive, à feu moyen, chauffer ½ c. à soupe d'huile et cuire la moitié des crevettes de 2 à 3 minutes de chaque côté en les retournant dès que le dessous est bien doré. Réserver au chaud dans une assiette. Chauffer le reste de l'huile et cuire le reste des crevettes de la même façon.

4. Mélanger les crevettes avec la sauce au miel. Répartir le chou dans les assiettes et disposer les crevettes au centre. Garnir de noix au miel (réserver le reste des noix pour un autre usage).

INFORMATION NUTRITIONNELLE PAR PORTION : Calories : 290 | Glucides : 16 g (Sucres : 7 g) | Gras total : 12 g (2,5 g sat.) | Protéines : 27 g | Fibres : 2 g | Cholestérol : 230 mg | Sodium : 600 mg | Équivalences alimentaires : 3 Viande maigre, 1 Féculent, 1 Gras | Choix de glucides : 1 | Valeur PointsPlus Weight Watchers : 7

Pâté de bœuf aux poivrons rouges

On trouve le mélange à pâte tout usage au supermarché, juste à côté des préparations pour gâteau. Pour ajouter des fibres à la recette, ajoutez 150 g (¾ de tasse) de haricots pinto ou autres avec la viande. Servez ce pâté avec une belle salade.

250 ml (1 tasse) de soda-racinette sans sucre (*root beer*)

250 ml (1 tasse) de pâte de tomates

60 ml (¼ de tasse) de ketchup

2 c. à soupe de sauce Worcestershire

1 c. à soupe d'arôme de fumée liquide

½ c. à thé (à café) de poudre d'ail

½ c. à thé (à café) de poudre d'oignon

¼ de c. à thé (à café) de poivre du moulin

70 g (½ tasse) de céleri, haché

500 g (1 lb) de bœuf haché maigre

240 g (1 ½ tasse) de poivrons rouges, hachés

240 g (1 ½ tasse) de mélange à pâte tout usage pauvre en matière grasse

125 ml (½ tasse) de lait pauvre en matière grasse

4 c. à soupe de cheddar pauvre en matière grasse, râpé

2 c. à soupe d'oignon vert, hachés finement

1. Préchauffer le four à 200 °C/400 °F/gaz 6.

2. **Sauce :** dans une casserole moyenne, à l'aide d'un fouet, mélanger les huit premiers ingrédients (du soda-racinette jusqu'au poivre). Cuire à feu moyen-doux pendant 10 minutes en remuant de temps à autre et réserver.

3. Vaporiser une grande poêle antiadhésive d'enduit végétal et chauffer à feu moyen-vif. Faire sauter le céleri pendant 1 minute. Ajouter le bœuf haché et les poivrons et cuire pendant 5 minutes ou jusqu'à ce que la viande soit cuite et que le céleri soit tendre. Égoutter l'excès de liquide, puis ajouter la sauce réservée. Bien mélanger et transvider dans un plat de cuisson de 20 cm x 20 cm (8 po x 8 po).

4. Dans un bol moyen, mélanger le reste des ingrédients jusqu'à l'obtention d'une pâte souple. À l'aide d'une cuillère à soupe, déposer la pâte sur la préparation de viande. Étaler ensuite la pâte à l'aide d'une cuillère ou avec les doigts en laissant une bordure de 2,5 cm (1 po) autour du plat.

5. Cuire au four de 10 à 12 minutes ou jusqu'à ce que le dessus du pâté soit bien doré.

INFORMATION NUTRITIONNELLE PAR PORTION (un sixième de la recette) : Calories : 295 | Glucides : 35 g (Sucres : 4 g) | Gras total : 8 g (3 g sat.) | Protéines : 23 g | Fibres : 3 g | Cholestérol : 50 mg | Sodium : 490 mg | Équivalences alimentaires : 2 ½ Viande maigre, 1 ½ Féculent, 2 Légumes | Choix de glucides : 2 | Valeur PointsPlus Weight Watchers : 8

Porc grillé à la sauce barbecue

Le paprika, la moutarde et la mélasse apportent beaucoup d'originalité à ce plat fabuleux de porc grillé.

60 ml (¼ de tasse) de ketchup pauvre en sucre

2 c. à soupe d'édulcorant sans calories en granulés

1 c. à soupe de vinaigre de cidre

1 c. à thé (à café) de mélasse

1 c. à thé (à café) de sauce Worcestershire

¾ de c. à thé (à café) de paprika

½ c. à thé (à café) de poudre d'oignon

¼ de c. à thé (à café) de poudre de moutarde

⅛ de c. à thé (à café) d'arôme de fumée liquide

1 pincée de poivre du moulin

2 c. à soupe d'eau

625 g (1 ¼ lb) de filet de porc, bien paré

1. **Sauce :** dans une très petite casserole, à l'aide d'un fouet, mélanger les 10 premiers ingrédients (du ketchup jusqu'au poivre) avec l'eau. Laisser mijoter et réduire légèrement à feu moyen de 4 à 5 minutes et réserver.

2. Préchauffer le gril à température moyenne-élevée ou placer une poêle à fond cannelé antiadhésive à feu moyen-vif. Cuire la viande de 4 à 5 minutes en la retournant plusieurs fois pour bien la dorer sur toutes les faces.

3. À feu moyen, badigeonner la viande de sauce sur toutes les faces. Cuire de 8 à 12 minutes ou jusqu'à ce que le thermomètre à viande indique 63 °C (145 °F) en continuant de la badigeonner de sauce de temps à autre.

4. Laisser reposer la viande dans une assiette pendant 5 minutes. Découper en tranches fines et napper avec le reste de la sauce.

INFORMATION NUTRITIONNELLE PAR PORTION : Calories : 190 | Glucides : 3 g (Sucres : 2 g) | Gras total : 5 g (2,5 g sat.) | Protéines : 30 g | Fibres : 0 g | Cholestérol : 85 mg | Sodium : 280 mg | Équivalences alimentaires : 4 Viande maigre | Choix de glucides : 0 | Valeur PointsPlus Weight Watchers : 4

Porc aux pruneaux

Voici un plat impressionnant que vous aimerez servir pour les grandes occasions. Raffinement et bon goût vont de pair !

4 PORTIONS

625 g (1 ¼ lb) de filet de porc

1 c. à thé (à café) d'huile d'olive ou de canola (colza)

1 petite échalote, hachée finement

60 ml (¼ de tasse) de bouillon de poulet

60 ml (¼ de tasse) de jus de pruneau

60 ml (¼ de tasse) de porto rubis

80 g (⅓ de tasse) de pruneau, hachés

1 c. à thé (à café) de moutarde de Dijon

1 c. à soupe comble de confiture de mûres sans sucre

1 c. à soupe de beurre

Sel et poivre du moulin

1. Préchauffer le four à 200 °C/400 °F/gaz 6. Saler et poivrer légèrement la viande.

2. Dans une grande poêle antiadhésive, à feu moyen-vif, chauffer l'huile et faire dorer le filet de porc sur toutes les faces. Sur une plaque à pâtisserie, cuire ensuite le filet au four pendant 20 minutes ou jusqu'à ce que le thermomètre à viande indique 63 °C (145 °F). Retirer du four, couvrir et laisser reposer de 5 à 10 minutes.

3. Entre-temps, préparer la sauce en faisant sauter l'échalote dans la même poêle pendant 2 minutes. Verser le bouillon, le jus de pruneau et le porto. Cuire à feu doux de 5 à 8 minutes ou jusqu'à légère réduction. Ajouter les pruneaux, la moutarde et la confiture. Cuire de 3 à 5 minutes ou jusqu'à ce que la sauce soit sirupeuse. Retirer du feu, incorporer le beurre et saler et poivrer au goût.

4. Découper la viande en tranches fines et disposer dans des assiettes. Napper de sauce et servir aussitôt.

Conseil : *Le jus de pruneau donne une belle consistance à la sauce sans altérer sa saveur. Vous pouvez toutefois le remplacer par plus de porto. Si vous ne voulez pas employer d'alcool, remplacez le porto par du jus de pruneau, de canneberge ou d'airelle.*

INFORMATION NUTRITIONNELLE PAR PORTION (125 g/4 oz de viande avec de la sauce) : Calories : 290 | Glucides : 11 g (Sucres : 5 g) | Gras total : 9 g (3 g sat.) | Protéines : 32 g | Fibres : 1 g | Cholestérol : 120 mg | Sodium : 290 mg | Équivalences alimentaires : 4 Viande maigre, 1 Fruit | Choix de glucides : 1 | Valeur PointsPlus Weight Watchers : 7

Ragoût de poisson vite fait

Si le cœur vous en dit, employez plutôt 500 g (1 lb) de filets de tilapia et 250 g (8 oz) de crevettes dans cette recette. Et n'oubliez pas de toujours avoir une bouteille de jus de myes dans votre frigo…

4 PORTIONS

1 c. à soupe d'huile d'olive

160 g (1 tasse) d'oignons, hachés

1 branche de céleri, hachée finement

3 grosses gousses d'ail, hachées finement

30 g (½ tasse) de persil frais, haché

200 g (1 tasse) de tomates fraîches, hachées (sans le jus)

250 ml (1 tasse) de jus de myes (palourdes) en bouteille

180 ml (¾ de tasse) de vin blanc sec

2 c. à soupe de pâte de tomates

½ c. à thé (à café) d'origan séché

¼ de c. à thé (à café) de thym séché

750 g (1 ½ lb) de filets de poisson à chair blanche, en morceaux de 5 cm (2 po)

Sel et poivre du moulin

1. Dans une grande casserole, à feu moyen, chauffer l'huile et faire revenir les oignons et le céleri pendant 5 minutes. Ajouter l'ail et faire sauter pendant 1 minute. Ajouter la moitié du persil et faire sauter pendant 1 minute. Ajouter le reste du persil et les tomates et cuire 1 minute de plus.

2. Ajouter le jus de myes, le vin blanc, la pâte de tomates et les assaisonnements. Ajouter le poisson. Couvrir et cuire pendant 5 minutes. Retirer le couvercle, remuer et laisser mijoter pendant 5 minutes ou jusqu'à ce que la cuisson du poisson soit terminée. Saler et poivrer au goût et servir aussitôt dans des bols.

Conseil : *Le pain au levain absorbe bien les jus de cuisson. Ce pain a un indice glycémique moins élevé que les autres pains blancs, ce qui en fait un allié de choix pour ceux qui doivent surveiller leur pression artérielle.*

INFORMATION NUTRITIONNELLE PAR PORTION : Calories : 290 | Glucides : 16 g (Sucres : 7 g) | Gras total : 12 g (2,5 g sat.) | Protéines : 27 g | Fibres : 2 g | Cholestérol : 230 mg | Sodium : 600 mg | Équivalences alimentaires : 3 Viande maigre, 2 Légumes, 1 Gras | Choix de glucides : 1 ½ | Valeur PointsPlus Weight Watchers : 7

Tartes, poudings et desserts originaux

Chaussons aux pommes et à la cannelle

Vous aimerez faire cette recette avec vos enfants ! Pour empêcher le jus des fruits de couler dans le four, prenez soin de tapisser la plaque à pâtisserie de papier d'aluminium ou de papier-parchemin.

8 PORTIONS

½ paquet de pâte à tarte réfrigérée (quantité suffisante pour 1 tarte)

80 ml (1/3 de tasse) d'eau

¼ de c. à thé (à café) de fécule de maïs

¾ de c. à thé (à café) de cannelle moulue

3 c. à soupe d'édulcorant sans calories en granulés

2 pommes moyennes, pelées, évidées et coupées en dés

1 c. à thé (à café) de sucre

1. Préchauffer le four à 200 °C/400 °F/gaz 6. Mettre la pâte à tarte sur un plan de travail. À l'aide d'un emporte-pièce rond de 9 cm (3 ½ po), prélever sept disques de pâte. (Le plus simple est de couper trois disques au centre, deux dans la partie supérieure et deux autres dans la partie inférieure de la pâte.) Rassembler les restes de pâte pour faire un autre disque. À l'aide du rouleau à pâtisserie, abaisser chaque disque pour qu'il ait 13 cm (5 cm) de diamètre. Ranger les disques de pâte sur une plaque à pâtisserie.

2. Dans un petit bol, à l'aide d'un fouet, mélanger l'eau, la fécule de maïs, la cannelle et l'édulcorant. Dans un plat à sauter antiadhésif moyen, à feu moyen, faire sauter les pommes pendant 3 minutes. Incorporer la préparation de fécule de maïs et cuire pendant 5 minutes ou jusqu'à ce que la sauce épaississe et que les pommes ramollissent. Retirer du feu et laisser refroidir un peu.

3. Garnir la moitié de chaque disque de pâte avec 2 c. à soupe rases de la préparation de pommes. Replier la pâte pour former des demi-lunes et pincer le tour avec une fourchette. À l'aide d'un couteau bien affûté, faire deux incisions sur chaque chausson.

4. Saupoudrer de sucre et cuire au four de 18 à 20 minutes ou jusqu'à ce que la pâte soit bien dorée et que la garniture soit bouillonnante. Laisser refroidir un peu avant de servir.

Chaussons aux pêches : pour faire la garniture, mélanger dans un petit bol 160 g (1 tasse) de pêches fraîches pelées ou de pêches en conserve (dans l'eau) égouttées et coupées en dés et 2 c. à soupe de confiture d'abricots pauvre en sucre. (Soustraire 10 calories et 3 g de glucides par chausson.)

Chaussons aux petits fruits : pour faire la garniture, mélanger dans un petit bol 2 c. à soupe d'édulcorant sans calories en granulés, 1 c. à soupe de fécule de maïs et 1 c. à soupe de sucre. Mesurer 80 g (½ tasse) de mûres et 80 g (½ tasse) de framboises, puis les saupoudrer avec 1 c. à thé (à café) rase de la préparation de fécule de maïs. Replier la pâte et cuire tel qu'indiqué dans la recette principale. (Soustraire 10 calories et 3 g de glucides par chausson.)

Conseil : *On peut congeler ces chaussons pour les faire cuire ultérieurement. Ne les faites pas décongeler avant de les mettre au four à 220 °C/425 °F/gaz 7 pendant 10 minutes. Baissez ensuite la température à 200 °C/400 °F/gaz 6 et poursuivez la cuisson pendant 20 minutes.*

INFORMATION NUTRITIONNELLE PAR PORTION (1 chausson) : Calories : 135 | Glucides : 19 g (Sucres : 7 g) | Gras total : 6 g (2,5 g sat.) | Protéines : 1 g | Fibres : 2 g | Cholestérol : 5 mg | Sodium : 120 mg | Équivalences alimentaires : 1 Glucide, 1 Gras, ¼ Fruit | Choix de glucides : 1 | Valeur PointsPlus Weight Watchers : 4

Tarte aux pommes sans façon

La préparation de cette tarte aux pommes rustique requiert peu d'effort et tout le monde en redemandera.

1 c. à soupe de cassonade ou de sucre roux

6 g (¼ de tasse) d'édulcorant sans calories en granulés

1 c. à soupe + 2 c. à thé (à café) de farine tout usage (type 55)

1 c. à thé (à café) de cannelle moulue

1 ½ c. à thé (à café) d'extrait de vanille

4 à 5 pommes à cuire (Golden Delicious ou autres)

½ paquet de pâte à tarte réfrigérée (quantité suffisante pour 1 tarte)

1 c. à soupe de beurre, fondu

1 c. à soupe de sucre

1. Préchauffer le four à 200 °C/400 °F/gaz 6. Tapisser une plaque à pâtisserie de papier-parchemin ou d'un tapis de cuisson en silicone.

2. Dans un bol moyen, mélanger la cassonade, l'édulcorant, 1 c. à soupe de farine, la cannelle et la vanille. Peler et évider les pommes, puis les couper en tranches de 1 cm (½ po). Mélanger avec la préparation de cassonade.

3. Saupoudrer le reste de la farine sur un plan de travail. À l'aide du rouleau à pâtisserie, abaisser la pâte pour qu'elle ait 30 cm (12 po) de diamètre, puis la mettre sur la plaque à pâtisserie. Garnir avec la préparation de pommes en laissant une bordure de 2,5 cm (1 po) tout autour. Remonter la pâte pour former un bord afin d'empêcher les pommes de couler en cours de cuisson. Pincer le bord.

4. Badigeonner les pommes de beurre fondu et saupoudrer de sucre. Cuire au four de 30 à 35 minutes ou jusqu'à ce que la pâte soit dorée et que les pommes soient cuites. Laisser refroidir pendant au moins 10 minutes avant de servir.

Conseil : *Pour faire une belle tarte estivale, remplacez les pommes par des pêches et des bleuets (myrtilles) frais, omettez la cannelle et faites-la cuire au four de 25 à 35 minutes.*

INFORMATION NUTRITIONNELLE PAR PORTION (1 pointe) : Calories : 180 | Glucides : 27 g (Sucres : 13 g) | Gras total : 8 g (3,5 g sat.) | Protéines : 1 g | Fibres : 2 g | Cholestérol : 10 mg | Sodium : 120 mg | Équivalences alimentaires : 1 Féculent | Choix de glucides : 2 | Valeur PointsPlus Weight Watchers : 5

Pavlova au chocolat

Il n'est pas toujours facile de réussir une pavlova, mais cette recette simplifiée allégera grandement votre tâche. Utilisez un couteau dentelé pour couper la meringue collante.

6 PORTIONS

3 gros blancs d'œufs

¼ de c. à thé (à café) de crème de tartre

160 g (⅔ de tasse) de sucre

1 ½ c. à soupe de poudre de cacao (solubilisée de préférence)

1 ½ c. à thé (à café) de fécule de maïs

1 c. à thé (à café) d'extrait de vanille

90 g (1 ½ tasse) de garniture fouettée allégée, décongelée

480 g (3 tasses) de fraises fraîches, équeutées et coupées en deux

1. Préchauffer le four à 150 °C/300 °F/gaz 2. Vaporiser généreusement un moule à tarte en verre de 23 cm (9 po) d'enduit végétal.

2. Dans un bol moyen, à l'aide d'un fouet, mélanger les blancs d'œufs, la crème de tartre et le sucre. Placer le bol au-dessus d'une casserole d'eau frémissante. Chauffer de 2 à 3 minutes ou jusqu'à dissolution du sucre.

3. Retirer le bol du feu et battre à l'aide du batteur électrique (mixeur), à vitesse élevée, pendant 5 minutes ou jusqu'à formation de pics fermes. Tamiser le cacao et la fécule de maïs au-dessus des blancs d'œufs et plier à l'aide d'une spatule. Incorporer la vanille en prenant soin de ne pas laisser la préparation se dégonfler.

4. À l'aide d'une grande cuillère, verser la meringue dans le moule à tarte et la pousser vers les bords pour créer un grand cercle vide au centre. Cuire au four de 50 à 60 minutes ou jusqu'à ce que l'extérieur soit sec et croustillant (il est normal qu'il y ait quelques fissures). Éteindre le four, entrouvrir la porte et laisser sécher la pavlova pendant 1 heure.

5. Étaler uniformément la garniture fouettée sur la pavlova refroidie et garnir de fraises. (On peut préparer la meringue la veille. Envelopper avec soin ou garder dans un contenant hermétique.)

Conseil : *Les desserts à base de meringue renferment peu de glucides, car ils ne contiennent pas de farine. Le sucre donne bon goût à la pavlova tout en aidant à maintenir sa structure.*

INFORMATION NUTRITIONNELLE PAR PORTION (1 morceau) : Calories : 140 | Glucides : 26 g (Sucres : 22 g) | Gras total : 2 g (6 g sat.) | Protéines : 3 g | Fibres : 2 g | Cholestérol : 35 mg | Sodium : 30 mg | Équivalences alimentaires : 1 Glucide, ½ Fruit | Choix de glucides : 1 ½ | Valeur PointsPlus Weight Watchers : 3

Tarte au fromage au parfum de pêche

Cette tarte a un goût étonnant de gâteau au fromage. Une croûte mince se forme tout naturellement pendant la cuisson.

8 PORTIONS

240 g (1 tasse) de fromage à la crème allégé

240 g (1 tasse) de fromage à la crème sans gras à température ambiante

1 ¾ c. à thé (à café) d'extrait de vanille

⅓ de c. à thé (à café) d'extrait d'amande

16 g (⅔ de tasse) + 2 c. à soupe d'édulcorant sans calories en granulés

2 c. à soupe de cassonade ou de sucre roux

40 g (¼ de tasse) de mélange à pâte tout usage pauvre en matière grasse

2 gros œufs à température ambiante

250 g (1 tasse) de crème sure ou aigre allégée

1 c. à thé (à café) de sucre

1 grosse pêche, pelée, dénoyautée et coupée en tranches

1. Préchauffer le four à 150 °C/300 °F/gaz 2. Vaporiser généreusement d'enduit végétal un moule à tarte en verre de 23 cm (9 po).

2. Dans un grand bol, mettre les fromages, 1 ½ c. à thé (à café) d'extrait de vanille, la moitié de l'extrait d'amande, 16 g (⅔ de tasse) d'édulcorant, la cassonade et le mélange à pâte. Battre à l'aide du batteur électrique (mixeur), à vitesse moyenne, jusqu'à consistance lisse. À basse vitesse, ajouter les œufs un à un. Incorporer 60 ml (¼ de tasse) de crème sure, puis transvider dans le moule à tarte.

3. Cuire au four de 30 à 35 minutes. Entre-temps, dans un bol, bien mélanger le reste de la crème sure, des extraits de vanille et d'amande et de l'édulcorant avec le sucre.

4. Verser la garniture sur la tarte chaude et étaler uniformément à l'aide d'une petite spatule. Laisser refroidir à température ambiante. Réfrigérer pendant au moins 4 heures ou jusqu'à ce que la tarte soit ferme. Avant de servir, disposer les tranches de pêche en cercle au centre de la tarte.

Conseil : *Puisque la croûte n'est pas très épaisse, elle permet de couper la tarte plus facilement.*

INFORMATION NUTRITIONNELLE PAR PORTION (1 morceau) : Calories : 140 | Glucides : 12 g (Sucres : 7 g) | Gras total : 6 g (3,5 g sat.) | Protéines : 9 g | Fibres : 0 g | Cholestérol : 60 mg | Sodium : 270 mg | Équivalences alimentaires : 1 Viande maigre, 1 Glucide, ½ Gras | Choix de glucides : 1 | Valeur PointsPlus Weight Watchers : 4

Carrés à la citrouille et au fromage

Avec ses 90 calories par portion, ce dessert est tout désigné pour les fêtes et les repas communautaires.

16 PORTIONS

Croûte

3 c. à soupe de margarine ou de beurre, fondu

100 g (1 tasse) de chapelure de biscuits graham

3 c. à soupe d'édulcorant sans calories en granulés

Garniture

240 g (1 tasse) de fromage à la crème allégé

2 gros œufs

8 g (⅓ de tasse) + 12 g (½ tasse) d'édulcorant sans calories en granulés

1 c. à thé (à café) d'extrait de vanille

430 g (1 ¾ tasse) de citrouille (potiron) en conserve

1 c. à thé (à café) de cannelle moulue

½ c. à thé (à café) de gingembre moulu

1 pincée de clou de girofle moulu

1. Préchauffer le four à 160 °C/325 °F/gaz 3. Vaporiser légèrement d'enduit végétal un plat de cuisson de 20 cm x 20 cm (8 po x 8 po).

2. **Croûte :** mélanger tous les ingrédients dans un petit bol. Presser fermement au fond du plat de cuisson. Cuire au four pendant 8 minutes. Laisser refroidir et réserver.

3. Entre-temps, dans un bol moyen, à l'aide du batteur électrique (mixeur), battre le fromage, 1 œuf, 8 g (⅓ de tasse) d'édulcorant et la vanille. Verser sur la croûte refroidie, lisser le dessus et réserver.

4. Dans le même bol, battre la citrouille, 1 œuf, 12 g (½ tasse) d'édulcorant et les épices jusqu'à consistance lisse. Verser sur la préparation de fromage à l'aide d'une grande cuillère et lisser le dessus.

5. Cuire au four pendant 30 minutes. Laisser refroidir à température ambiante pendant 25 minutes. Réfrigérer pendant 4 heures ou toute la nuit. Découper en 16 carrés de 5 cm x 5 cm (2 po x 2 po).

Conseil : *Ces carrés sont encore meilleurs servis avec un peu de garniture fouettée allégée et une petite pincée de cannelle ou d'épices pour tarte à la citrouille.*

INFORMATION NUTRITIONNELLE PAR PORTION (1 CARRÉ) : Calories : 90 | Glucides : 9 g (Sucres : 5 g) | Gras total : 4,5 g (1,5 g sat.) | Protéines : 3 g | Fibres : 1 g | Cholestérol : 30 mg | Sodium : 125 mg | Équivalences alimentaires : ½ Glucide, ½ Légume, 1 Gras | Choix de glucides : ½ | Valeur PointsPlus Weight Watchers : 2

Fraises farcies au fromage

Voici une recette de gâteau au fromage aux fraises déconstruit ! Chaque fraise ne contient que 50 calories et la préparation ne demande aucune cuisson.

120 g (½ tasse) de fromage à la crème allégé

80 g (⅓ de tasse) de fromage à la crème sans gras

3 c. à soupe d'édulcorant sans calories en granulés

1 pincée de zeste de citron râpé

2 gouttes d'extrait d'amande

30 g (½ tasse) de garniture fouettée allégée, décongelée

12 grosses fraises entières (environ 500 g/1 lb)

2 carrés de biscuits graham, broyés finement

1. Dans un petit bol, à la main ou à l'aide du batteur électrique (mixeur), battre les fromages avec l'édulcorant, le zeste et l'extrait d'amande jusqu'à consistance lisse. Incorporer la garniture fouettée. Transvider dans une poche à douille munie d'une douille cannelée de 1 cm (½ po). (Sinon, prendre un sac à fermeture hermétique et faire un petit trou dans un coin.)

2. À l'aide d'un couteau bien affûté ou d'un vide-pomme, équeuter minutieusement les fraises en créant une petite cavité sur le dessus. Couper une mince lanière de 5 mm (¼ de po) sur le côté de chaque fraise de façon qu'elles tiennent bien en place dans l'assiette sans rouler.

3. Étaler les miettes de biscuits dans une petite assiette. Mettre 1 c. à soupe de la préparation de fromage dans chaque fraise. Saupoudrer avec ½ c. à thé (à café) de chapelure de biscuits et réfrigérer jusqu'au moment de servir. Dresser dans une grande assiette au moment du dessert.

Conseil : *Vous pouvez farcir les fraises jusqu'à 6 heures à l'avance et les saupoudrer de chapelure de biscuits juste avant de servir. Si vous n'avez pas de biscuits graham, utilisez des gaufrettes à la vanille ou au chocolat broyées finement.*

INFORMATION NUTRITIONNELLE PAR PORTION (1 fraise farcie) : Calories : 50 | Glucides : 5 g (Sucres : 3 g) | Gras total : 2 g (1 g sat.) | Protéines : 2 g | Fibres : 1 g | Cholestérol : 35 mg | Sodium : 70 mg | Équivalences alimentaires : ½ Fruit, ½ Gras | Choix de glucides : ½ | Valeur PointsPlus Weight Watchers : 1

Carrés au caramel

Voici le genre de dessert qui sait rassembler tout le monde. Préparez-le lorsque vous avez plusieurs invités ou que vous participez à un repas communautaire.

20 PORTIONS

3 c. à soupe de margarine ou de beurre, fondu

180 g (1 ½ tasse) de chapelure de biscuits graham

6 g (¼ de tasse) + 2 c. à soupe d'édulcorant sans calories en granulés

120 g (½ tasse) de fromage à la crème allégé

120 g (½ tasse) de fromage à la crème sans gras à température ambiante

810 ml (3 ¼ tasses) de lait pauvre en matière grasse

1 contenant de 250 g (8 oz) de garniture fouettée allégée, décongelée

1 paquet (4 portions) de préparation instantanée pour pouding à la vanille sans sucre

1 paquet (4 portions) de préparation instantanée pour pouding au caramel écossais sans sucre

60 g (¼ de tasse) de garniture au caramel sans sucre pour crème glacée

1. Dans un plat de 23 cm x 33 cm (9 po x 13 po), mélanger la margarine, la chapelure et 2 c. à soupe d'édulcorant. Presser la chapelure au fond du plat et garder au réfrigérateur.

2. Dans un bol moyen, à l'aide du batteur électrique (mixeur), battre les fromages, 60 ml (¼ de tasse) de lait et le reste de l'édulcorant jusqu'à consistance lisse. Incorporer 60 g (1 tasse) de garniture fouettée et étaler uniformément sur la croûte.

3. À l'aide d'un fouet, mélanger la préparation pour pouding à la vanille avec 375 ml (1 ½ tasse) de lait environ 2 minutes jusqu'à consistance lisse. Verser sur le fromage à l'aide d'une cuillère et lisser le dessus. Réfrigérer pendant que l'on fouette la préparation pour pouding au caramel écossais avec le reste du lait. Verser sur le pouding à la vanille à l'aide d'une cuillère et lisser le dessus.

4. Couvrir avec le reste de la garniture fouettée et réfrigérer pendant au moins 4 heures. Ajouter la garniture au caramel juste avant de servir. Découper en 20 carrés de même grosseur.

INFORMATION NUTRITIONNELLE PAR PORTION (1 carré) : Calories : 130 | Glucides : 17 g (Sucres : 10 g) | Gras total : 5 g (3 g sat.) | Protéines : 3 g | Fibres : 0 g | Cholestérol : 5 mg | Sodium : 220 mg | Équivalences alimentaires : 1 Glucide, 1 Gras | Choix de glucides : 1 | Valeur PointsPlus Weight Watchers : 3

Tourte aux pêches et aux bleuets

La pêche est toujours très populaire, mais on peut la remplacer par n'importe quel autre fruit d'été dans cette recette.

Fruits

480 g (3 tasses) de pêches fraîches, en tranches

160 g (1 tasse) de bleuets (myrtilles)

160 g (1 tasse) de mûres ou de framboises

6 g (¼ de tasse) d'édulcorant sans calories en granulés

1 c. à soupe de farine tout usage (type 55)

Garniture

125 ml (½ tasse) de lait pauvre en matière grasse

2 c. à soupe de margarine ou de beurre, fondu

160 g (1 tasse) de farine tout usage (type 55)

3 c. à soupe d'édulcorant sans calories en granulés

1 c. à thé (à café) de levure chimique (poudre à pâte)

¼ de c. à thé (à café) de bicarbonate de soude

1 c. à thé (à café) de sucre

1. Préchauffer le four à 190 °C/375 °F/gaz 5. Vaporiser légèrement d'enduit végétal un plat de cuisson en verre de 20 cm x 20 cm (8 po x 8 po).

2. **Fruits :** dans un grand bol, mélanger délicatement les pêches et les petits fruits avec l'édulcorant et la farine. Étaler dans le plat de cuisson.

3. **Garniture :** dans un petit bol, à l'aide d'un fouet, mélanger le lait et la margarine. Réserver. Dans un bol moyen, mélanger la farine, l'édulcorant, la levure chimique et le bicarbonate de soude.

4. Ajouter la préparation de lait à la préparation de farine et mélanger jusqu'à formation d'une pâte. À l'aide d'une cuillère ou avec les mains farinées, mettre la pâte sur les fruits. Étaler délicatement pour couvrir presque entièrement les fruits, puis saupoudrer de sucre.

5. Cuire au four de 35 à 40 minutes ou jusqu'à ce que les fruits soient bouillonnants et que la croûte soit légèrement dorée. Laisser refroidir pendant 15 minutes avant de servir.

INFORMATION NUTRITIONNELLE PAR PORTION (environ 135 g/¾ de tasse) : Calories : 180 | Glucides : 32 g (Sucres : 14 g) | Gras total : 4 g (1 g sat.) | Protéines : 4 g | Fibres : 4 g | Cholestérol : 0 mg | Sodium : 135 mg | Équivalences alimentaires : 1 Glucide, 1 Fruit, ½ Gras | Choix de glucides : 2 | Valeur PointsPlus Weight Watchers : 4

Pouding au riz crémeux à la cannelle

La boisson aux amandes ne contient que 40 calories et 2 g de glucides par tasse tandis que le lait de vache procure 110 calories et 12 g de glucides. Son goût se marie à merveille avec le riz brun et la cannelle.

6 PORTIONS

180 ml (¾ de tasse) d'eau froide

100 g (½ tasse) de riz brun à cuisson rapide

560 ml (2 ¼ tasses) de boisson aux amandes non sucrée ou parfumée à la vanille

12 g (½ tasse) d'édulcorant sans calories en granulés

1 c. à thé (à café) de cannelle moulue

1 pincée de sel

2 c. à thé (à café) de fécule de maïs

180 ml (¾ de tasse) de crème 11,5 % ou fleurette

1 c. à thé (à café) d'extrait de vanille

1. Dans une casserole moyenne, porter l'eau à ébullition et ajouter le riz. Couvrir et cuire à feu moyen-doux pendant 10 minutes ou jusqu'à absorption complète du liquide.

2. Ajouter la boisson aux amandes, l'édulcorant, la cannelle et le sel. Cuire à découvert à feu moyen pendant 20 minutes en remuant de temps à autre.

3. Dans un petit bol, à l'aide d'un fouet, mélanger la fécule de maïs et la crème. Verser sur le riz, ajouter la vanille et cuire jusqu'à ce que la préparation soit bouillonnante. Cuire à feu doux pendant 1 minute, puis retirer du feu (le pouding épaissira en refroidissant). Verser dans un grand bol ou des plats à dessert et laisser refroidir. Servir aussitôt ou couvrir et réfrigérer.

Conseil : *Pour obtenir un pouding à l'ancienne, remplacez le riz brun par du riz blanc (ajoutez 10 minutes de cuisson à l'étape 1, pour un total de 20 minutes) et la boisson aux amandes par du lait 1 %. Ajoutez 25 calories et 6 g de glucides par portion.*

INFORMATION NUTRITIONNELLE PAR PORTION (100 g/½ tasse) : Calories : 105 | Glucides : 19 g (Sucres : 0 g) | Gras total : 2 g (0 g sat.) | Protéines : 3 g | Fibres : 1 g | Cholestérol : 0 mg | Sodium : 80 mg | Équivalences alimentaires : 1 Glucide | Choix de glucides : 1 | Valeur PointsPlus Weight Watchers : 2

Soufflés au café et au chocolat

Cinq ingrédients, 15 minutes de préparation et seulement 160 calories ! Ce dessert impressionnant fait toujours sensation à table. Saupoudrez-le de cacao ou de sucre glace et ajoutez-y quelques framboises fraîches et une touche de garniture fouettée allégée.

5 PORTIONS

4 gros œufs

90 g (½ tasse) de grains de chocolat semi-sucré

3 c. à soupe d'eau chaude

¼ de c. à thé (à café) de café instantané en poudre

1 c. à soupe de poudre de cacao (solubilisée de préférence)

2 c. à soupe de sucre

Poudre de cacao ou sucre glace (facultatif)

1. Préchauffer le four à 200 °C/400 °F/gaz 6. Vaporiser légèrement d'enduit végétal cinq ramequins de 180 ml (6 oz), puis les ranger sur une plaque à pâtisserie.

2. Séparer les œufs en mettant les blancs dans un grand bol et deux jaunes dans un petit bol (réserver le reste des jaunes pour un autre usage).

3. Dans un petit bol convenant au micro-ondes, chauffer les grains de chocolat de 1 à 1 ½ minute ou jusqu'à ce qu'ils soient luisants et partiellement fondus. Retirer du four, remuer et réserver. Dans un bol moyen, à l'aide d'un fouet, mélanger l'eau chaude avec la poudre de café et le cacao. Incorporer les jaunes d'œufs, puis le chocolat fondu en fouettant jusqu'à consistance lisse.

4. À l'aide du batteur électrique (mixeur), à vitesse élevée, battre les blancs d'œufs jusqu'à ce qu'ils soient bien mousseux. Ajouter le sucre peu à peu et battre jusqu'à formation de pics fermes mais non secs. Plier délicatement la moitié de la préparation de chocolat en prenant soin de ne pas laisser la préparation se dégonfler. Incorporer le reste du chocolat.

5. Répartir la préparation dans les ramequins et cuire au four, sur la grille du centre, de 9 à 11 minutes ou jusqu'à ce que les soufflés soient fermes au toucher. Saupoudrer de cacao ou de sucre glace avant de servir.

Conseil : *Vous pouvez remplacer le café instantané et l'eau chaude par 3 c. à soupe de café chaud. Il est aussi possible d'ajouter ½ c. à thé (à café) d'extrait d'amande, de vanille ou d'orange à la recette.*

INFORMATION NUTRITIONNELLE PAR PORTION (1 soufflé) : Calories : 160 | Glucides : 17 g (Sucres : 15 g) | Gras total : 9 g (4,5 g sat.) | Protéines : 6 g | Fibres : 1 g | Cholestérol : 170 mg | Sodium : 55 mg | Équivalences alimentaires : 1 ½ Gras, 1 Glucide, ½ Viande maigre | Choix de glucides : 1 | Valeur PointsPlus Weight Watchers : 5

Crème glacée au citron, sauce aux framboises

De la crème glacée « maison » en 10 minutes ! Un maximum de saveur pour un minimum d'effort...

4 PORTIONS

315 g (2 ¼ tasses) de crème glacée à la vanille allégée sans sucre

1 citron moyen, lavé et bien essuyé

4 c. à soupe de confiture de framboises pauvre en sucre

2 c. à soupe d'eau

2 c. à soupe d'édulcorant sans calories en granulés

Framboises fraîches (facultatif)

1. Dans un bol moyen, laisser ramollir la crème glacée à température ambiante pendant 10 minutes.

2. Zester le citron dans le bol de crème glacée. Couper le citron en deux, puis presser son jus dans le bol. Mélanger à l'aide d'une cuillère ou d'une fourchette jusqu'à consistance lisse. Laisser durcir au congélateur pendant au moins 30 minutes.

3. Juste avant de servir, mettre la confiture, l'eau et l'édulcorant dans un petit bol convenant au micro-ondes. Réchauffer à puissance maximale de 30 à 45 secondes et mélanger. Servir 70 g (½ tasse) de crème glacée dans un petit bol ou un verre. Ajouter 1 ½ c. à soupe de sauce aux framboises et garnir de framboises fraîches au goût.

Conseil : *Ce dessert n'exige que 10 minutes de préparation ! Il est toutefois nécessaire de bien planifier les choses afin que la crème glacée « maison » ait le temps de durcir au congélateur.*

INFORMATION NUTRITIONNELLE PAR PORTION (70 g/½ tasse de crème glacée avec de la sauce) :
Calories : 140 | Glucides : 23 g (Sucres : 10 g) | Gras total : 4 g (2,5 g sat.) | Protéines : 4 g | Fibres : 4 g | Cholestérol : 0 mg | Sodium : 100 mg | Équivalences alimentaires : 1 Glucide, ½ Lait pauvre en matière grasse | Choix de glucides : 1 ½ | Valeur PointsPlus Weight Watchers : 3

Biscuits et gâteaux maison

LE CHOCOLAT

Tous les véritables amateurs savent que le chocolat a le pouvoir de nous procurer satisfaction et réconfort comme aucun autre aliment. Vous serez heureux d'apprendre qu'en plus d'être délicieux, il est aussi excellent pour la santé !

- **Un allié pour le cerveau.** Le chocolat stimule la production d'endorphines, ce qui procure une agréable sensation de plaisir. Il améliore aussi l'humeur en augmentant le taux de sérotonine et aide à réduire le stress en agissant sur le système hormonal.

- **Le chocolat noir consommé avec modération est bon pour le cœur.** Il réduit la pression artérielle et le taux de cholestérol en plus de diminuer de moitié les risques de crise cardiaque.

- **Le cacao contient plus d'une douzaine de vitamines et de minéraux :** vitamines A, B1, C et E, calcium, fer, potassium, etc. Il s'agit de la source naturelle la plus riche en magnésium, un atout pour la glycémie et la pression artérielle.

- **La poudre de cacao est pauvre en gras et riche en goût chocolaté.** On dit que 2 c. à soupe de poudre de cacao naturelle procure plus d'antioxydants que 875 ml (3 ½ tasses) de thé vert ou 1 ½ verre de vin rouge. Le chocolat noir renferme de l'acide oléique, un acide gras essentiel également présent dans l'huile d'olive.

- **La poudre de cacao non sucrée contient peu de glucides et de sucre et beaucoup de fibres.** Elle modifie très peu le taux de glycémie. Délicieuse dans les boissons et les pâtisseries, elle est très appréciée par ceux qui surveillent leur poids ou souffrent de diabète.

- **La poudre de cacao solubilisée naturelle** est moins amère et plus foncée que la poudre n'ayant pas subi ce traitement. Elle est particulièrement conseillée dans les recettes contenant peu de sucre.

- **L'exquis chocolat noir.** Le chocolat contenant 60 % ou plus de cacao est le meilleur pour la santé. Son goût est évidemment plus riche que celui du chocolat au lait.

- **De nombreuses recettes à base de chocolat !** Ce livre vous présente des recettes qui sauront vous combler chaque fois que vous aurez envie de chocolat. Laissez-vous tenter sans éprouver la moindre culpabilité en respectant la portion suggérée !

Biscuits tendres à la vanille et à la cannelle

Ces biscuits tendres à l'ancienne allient le bon goût de la cannelle à celui de la vanille.

DONNE **26** BISCUITS

320 g (2 tasses) de farine tout usage

1 ½ c. à thé (à café) de crème de tartre

½ c. à thé (à café) de bicarbonate de soude

120 g (½ tasse) de margarine ou de beurre à température ambiante

5 c. à soupe de sucre

2 c. à soupe de sirop de maïs (sirop de glucose)

1 ½ c. à thé (à café) d'extrait de vanille

1 gros œuf

18 g (¾ de tasse) d'édulcorant sans calories en granulés

80 g (⅓ de tasse) de crème sure ou aigre allégée

2 c. à thé (à café) de cannelle moulue

1. Préchauffer le four à 190 °C/375 °F/gaz 5. Vaporiser légèrement une plaque à pâtisserie d'enduit végétal.

2. Dans un grand bol, à l'aide d'un fouet, mélanger la farine, la crème de tartre et le bicarbonate de soude. Réserver.

3. Dans un bol moyen, à l'aide du batteur électrique (mixeur), mélanger la margarine, 2 c. à soupe de sucre et le sirop de maïs jusqu'à consistance légère et duveteuse. Incorporer la vanille, l'œuf et l'édulcorant en battant jusqu'à consistance crémeuse. Régler le batteur à basse vitesse, puis incorporer la crème sure et la farine réservée.

4. Avec les mains humectées, façonner des boules de 2,5 cm (1 po) de diamètre. Dans un petit bol, mélanger le reste du sucre avec la cannelle. Rouler les boules dans le sucre et les ranger au fur et à mesure sur la plaque à pâtisserie. Aplatir les boules avec le fond d'un verre à eau.

5. Cuire au four de 7 à 8 minutes (le dessus doit rester tendre), puis laisser refroidir sur une grille.

Variantes : *Pour le temps des fêtes, ajouter 1 c. à thé (à café) de muscade moulue à la farine. Pour obtenir un bon goût de lait de poule, ajouter 1 c. à thé (à café) de muscade moulue et ¾ de c. à thé (à café) de rhum à la préparation d'œuf.*

INFORMATION NUTRITIONNELLE PAR PORTION (1 biscuit) : Calories : 80 | Glucides : 11 g (Sucres : 3 g) | Gras total : 3 g (2 g sat.) | Protéines : 1 g | Fibres : 2 g | Cholestérol : 25 mg | Sodium : 20 mg | Équivalences alimentaires : 1 Glucide | Choix de glucides : 1 | Valeur PointsPlus Weight Watchers : 1

Meringues croustillantes

Ces biscuits meringués sont croustillants à l'extérieur et un peu tendres à l'intérieur. Si vous aimez un goût plus caramélisé, faites-les cuire à 135 °C/275 °F/gaz 1 pendant 45 minutes, éteignez le four et laissez-les reposer pendant 1 heure avant de les sortir. Ils auront un bon goût de guimauve grillée en plus d'être plus croustillants.

DONNE **24** BISCUITS

4 gros blancs d'œufs

¼ de c. à thé (à café) de crème de tartre

160 g (⅔ de tasse) de sucre

¾ de c. à thé (à café) d'extrait de vanille

¼ de c. à thé (à café) d'extrait d'amande

40 g (1 ¼ tasse) de riz croustillant (céréales du commerce)

1. Préchauffer le four à 110 °C/225 °F/gaz ¼. Tapisser des plaques à pâtisserie de tapis de cuisson en silicone ou de papier-parchemin. Réserver.

2. Dans un bol métallique, mettre les blancs d'œufs, la crème de tartre et le sucre. Placer le bol dans une casserole d'eau frémissante en veillant à ce que le fond n'entre pas en contact avec le liquide. Chauffer de 2 à 3 minutes ou jusqu'à ce que le sucre soit dissous et que les blancs d'œufs soient un peu chauds. Retirer le bol de la casserole et battre les blancs d'œufs à l'aide du batteur électrique (mixeur) réglé à vitesse élevée de 4 à 5 minutes ou jusqu'à formation de pics fermes. À l'aide d'une spatule, incorporer les extraits de vanille et d'amande et le riz croustillant en évitant de faire dégonfler les blancs.

3. À l'aide d'une cuillère à soupe, disposer une petite quantité de meringue à la fois sur les plaques à pâtisserie. Cuire au four de 45 à 50 minutes ou jusqu'à ce qu'on puisse soulever un biscuit sans qu'il colle à la plaque. Éteindre le four et y laisser reposer les biscuits pendant 15 minutes. Retirer les plaques du four et laisser refroidir. Conserver les biscuits dans un contenant hermétique.

INFORMATION NUTRITIONNELLE PAR PORTION (2 biscuits) : Calories : 60 | Glucides : 12 g (Sucres : 6 g) | Gras total : 0 g (0 g sat.) | Protéines : 2 g | Fibres : 0 g | Cholestérol : 0 mg | Sodium : 50 mg | Équivalences alimentaires : 1 Glucide | Choix de glucides : 1 | Valeur PointsPlus Weight Watchers : 1

Brownies au café et aux pruneaux

Ces brownies contiennent 30 % moins de calories et 50 % moins de gras et de sucre que ceux vendus dans le commerce. Utilisez un moule à muffins ordinaire et non pas un moule conçu pour les muffins miniatures.

DONNE **12** BROWNIES

90 g (½ tasse) de grains de chocolat semi-sucré

1 ½ c. à soupe de beurre

70 g (¼ de tasse) de purée de pruneaux maison ou du commerce

¼ de c. à thé (à café) de café instantané en poudre

1 ½ c. à thé (à café) d'extrait de vanille

60 g (¼ de tasse) de cassonade ou de sucre roux

12 g (½ tasse) d'édulcorant sans calories en granulés

1 œuf, battu*

25 g (¼ de tasse) de poudre de cacao

½ c. à thé (à café) de levure chimique (poudre à pâte)

40 g (¼ de tasse) de farine tout usage (type 55)

1. Préchauffer le four à 160 °C/325 °F/gaz 3. Vaporiser légèrement d'enduit végétal un moule à muffins de 12 cavités.

2. Dans un bol moyen convenant au micro-ondes, chauffer le chocolat avec le beurre à puissance maximale de 45 à 60 secondes ou jusqu'à ce qu'il soit luisant et partiellement fondu. Retirer du four et fouetter jusqu'à ce que le chocolat soit complètement fondu. Incorporer la purée de pruneaux, la poudre de café, la vanille et la cassonade en mélangeant jusqu'à consistance parfaitement lisse.

3. Incorporer l'œuf, puis ajouter successivement le cacao, la levure chimique et la farine en battant après chaque addition.

4. Verser environ 2 c. à soupe de la préparation dans chacun des moules. Cuire au four de 10 à 12 minutes ou jusqu'à ce qu'un cure-dent inséré au centre d'un brownie en ressorte propre. Placer le moule sur une grille et laisser reposer de 5 à 10 minutes avant de démouler.

Conseil : *La purée de pruneaux permet de couper la quantité de matière grasse de moitié tout en gardant les brownies tendres et délicieux.*

* *Pour avoir une consistance semblable à celle d'un gâteau, ajouter un œuf à la recette.*

INFORMATION NUTRITIONNELLE PAR PORTION (1 brownie) : Calories : 100 | Glucides : 15 g (Sucres : 7 g) | Gras total : 4 g (2 g sat.) | Protéines : 3 g | Fibres : 2 g | Cholestérol : 25 mg | Sodium : 20 mg | Équivalences alimentaires : 1 Glucide, ½ Gras | Choix de glucides : 1 | Valeur PointsPlus Weight Watchers : 2

Biscuits-sandwichs au chocolat sans cuisson

La partie la plus difficile de cette recette consiste à attendre que les biscuits soient prêts*. Le temps de réfrigération idéal est de 4 à 6 heures. Conservez-les au congélateur et faites-les décongeler une vingtaine de minutes avant de les servir.

DONNE **19** BISCUITS

1 boîte de biscuits ronds secs au chocolat

120 g (½ tasse) de fromage à la crème allégé

125 g (½ tasse) de crème sure ou aigre allégée

3 c. à soupe d'édulcorant sans calories en granulés

½ c. à thé (à café) d'extrait de vanille

90 g (1 ½ tasse) de garniture fouettée allégée, décongelée

1. Ranger 19 biscuits sur une plaque à pâtisserie et en réserver 19 autres dans une assiette.

2. Dans un petit bol, à l'aide du batteur électrique (mixeur) réglé à basse vitesse, battre le fromage jusqu'à consistance lisse. Ajouter la crème sure, l'édulcorant et la vanille, puis continuer de battre jusqu'à consistance homogène.

3. À l'aide d'une spatule en caoutchouc, plier délicatement la moitié de la garniture fouettée dans la préparation de fromage. Ajouter le reste de la garniture fouettée en mélangeant délicatement.

4. Garnir les biscuits rangés sur la plaque à pâtisserie avec 1 ½ c. à soupe de la préparation. Former des biscuits-sandwichs en utilisant les autres biscuits réservés dans l'assiette.

5. Couvrir la plaque et réfrigérer de 4 à 6 heures avant de servir. Une fois bien enveloppés, ces biscuits se conservent aussi très bien au congélateur.

Conseil : *Pour faire des biscuits à double saveur de chocolat, ajoutez 3 c. à soupe de poudre de cacao à l'étape 2. Pour une garniture à l'orange, ajoutez 1 c. à thé (à café) de zeste d'orange râpé finement. Vous pouvez aussi garnir ces biscuits avec le glaçage aux fraises (page 246) ou le glaçage au fromage à la crème (page 245). Ajoutez alors 5 calories par biscuit-sandwich.*

* *Il est important de laisser ramollir les biscuits pour garder la garniture intacte. Si on croque dans un biscuit un peu dur, la garniture risque de nous éclabousser.*

INFORMATION NUTRITIONNELLE PAR PORTION (1 biscuit) : Calories : 85 | Glucides : 11 g (Sucres : 5 g) | Gras total : 3 g (3 g sat.) | Protéines : 2 g | Fibres : 0 g | Cholestérol : 5 mg | Sodium : 115 mg | Équivalences alimentaires : 1 Glucide, ½ Gras | Choix de glucides : 1 | Valeur PointsPlus Weight Watchers : 2

Biscuits sablés au citron sans sucre

Comme ces biscuits renferment beaucoup de beurre, réservez-les pour les occasions spéciales.

DONNE **30** BISCUITS

280 g (1 ¾ tasse) de farine tout usage (type 55)

60 g (½ tasse) d'amandes, moulues finement

¼ de c. à thé (à café) de levure chimique (poudre à pâte)

240 g (1 tasse) de beurre

16 g (⅔ de tasse) d'édulcorant sans calories en granulés

2 c. à soupe de zeste de citron, râpé

1 jaune d'œuf

1. Dans un petit bol, mélanger la farine, les amandes et la levure chimique. Réserver.

2. Dans un grand bol, à l'aide du batteur électrique (mixeur), mélanger le beurre, l'édulcorant et le zeste de 2 à 3 minutes ou jusqu'à consistance légère et crémeuse. Ajouter le jaune d'œuf et battre pour bien amalgamer tous les ingrédients.

3. Ajouter les ingrédients secs à la préparation de beurre en battant à basse vitesse jusqu'à ce qu'une pâte commence à se former. Diviser la pâte en deux disques de 4,5 cm (1 ¾ po) de diamètre et de 15 cm (6 po) de longueur. Envelopper de pellicule de plastique ou de papier ciré (paraffiné) et laisser refroidir au réfrigérateur de 1 à 2 heures environ.

4. Préchauffer le four à 180 °C/350 °F/gaz 4. Tapisser une plaque à pâtisserie de papier-parchemin. Couper la pâte en tranches de 9 mm (⅜ de po) et les ranger sur la plaque.

5. Cuire au four pendant 15 minutes ou jusqu'à ce que les biscuits soient légèrement dorés. Laisser refroidir sur une grille et conserver dans un contenant hermétique.

Conseil : *Même si ces biscuits ne renferment pas de sucre ajouté, ils contiennent une bonne quantité de matière grasse comme tous les sablés. On peut les congeler facilement. Offrez-les en cadeau… ils feront des heureux !*

INFORMATION NUTRITIONNELLE PAR PORTION (1 biscuit-sandwich) : Calories : 100 | Glucides : 6 g (Sucres : 0 g) | Gras total : 8 g (4 g sat.) | Protéines : 1 g | Fibres : 0 g | Cholestérol : 25 mg | Sodium : 65 mg | Équivalences alimentaires : 1 ½ Gras, ½ Féculent | Choix de glucides : ½ | Valeur PointsPlus Weight Watchers : 3

Biscuits-sandwichs au chocolat

Ces biscuits sont mille fois meilleurs que ceux du commerce. Ils sont vraiment imbattables !

60 ml (¼ de tasse) d'huile de canola (colza)

1 gros œuf

1 c. à thé (à café) d'extrait de vanille

60 g (¼ de tasse) de cassonade ou de sucre roux

24 g (1 tasse) d'édulcorant sans calories en granulés

125 ml (½ tasse) de babeurre pauvre en matière grasse

200 g (1 ¼ tasse) de farine à gâteau

1 c. à thé (à café) de bicarbonate de soude

1 c. à thé (à café) de levure chimique (poudre à pâte)

25 g (¼ de tasse) de poudre de cacao (solubilisée de préférence)

1 recette de glaçage au fromage à la crème (page 245) ou de glaçage à la garniture fouettée au chocolat (page 247)

1. Préchauffer le four à 160 °C/325 °F/gaz 3. Vaporiser d'enduit végétal une plaque à pâtisserie ou un tapis de cuisson en silicone.

2. Dans un grand bol, à l'aide d'un fouet, mélanger l'huile et l'œuf pendant 1 minute ou jusqu'à consistance mousseuse. Ajouter la vanille, la cassonade et l'édulcorant. Battre à l'aide d'un fouet pendant 2 minutes ou jusqu'à ce que la préparation soit lisse et épaisse. Incorporer le babeurre. Tamiser le reste des ingrédients secs directement dans la préparation d'œuf et mélanger jusqu'à consistance lisse.

3. À l'aide d'une cuillère à soupe, verser la pâte sur la plaque (1 c. à soupe par biscuit) et arrondir les bords si nécessaire. Cuire au four de 7 à 8 minutes en prenant soin de faire une rotation des biscuits à mi-cuisson. (Ils doivent être tendres.)

4. Conserver les biscuits dans un contenant hermétique. Pour les garnir, préparer le glaçage choisi selon les indications de la recette. Étaler 1 ½ c. à soupe de glaçage sur un biscuit, puis le couvrir avec un autre biscuit pour faire un sandwich. Ces biscuits sont meilleurs le jour de leur préparation. Envelopper les biscuits-sandwichs dans de la pellicule de plastique et conserver au réfrigérateur.

INFORMATION NUTRITIONNELLE PAR PORTION (1 biscuit-sandwich) : Calories : 130 | Glucides : 17 g (Sucres : 5 g) | Gras total : 4 g (3 g sat.) | Protéines : 4 g | Fibres : 1 g | Cholestérol : 20 mg | Sodium : 220 mg | Équivalences alimentaires : 1 Féculent, 1 Gras | Choix de glucides : 1 | Valeur PointsPlus Weight Watchers : 3

Gâteau au chocolat à l'ancienne

La mayonnaise donne une belle consistance de fudge au gâteau. C'est au cours de la Seconde Guerre mondiale que l'on a commencé à utiliser la mayo dans les pâtisseries à cause du rationnement du beurre et des œufs. Cette recette est un hommage à tous ces pâtissiers qui ont fait preuve d'imagination et de persévérance au cours de ces années noires.

25 g (¼ de tasse) + 2 c. à soupe de poudre de cacao

125 ml (½ tasse) d'eau chaude

18 g (¾ de tasse) d'édulcorant sans calories en granulés

2 c. à soupe de cassonade ou de sucre roux

80 ml (⅓ de tasse) de lait pauvre en matière grasse

1 ½ c. à thé (à café) d'extrait de vanille

1 gros œuf

120 g (½ tasse) de mayonnaise allégée

160 g (1 tasse) de farine tout usage (type 55)

1 c. à thé (à café) de levure chimique (poudre à pâte)

1 c. à thé (à café) de bicarbonate de soude

1. Préchauffer le four à 180 °C/350 °F/gaz 4. Vaporiser légèrement d'enduit végétal un moule à gâteau rond de 23 cm (9 po).

2. Mettre le cacao dans un grand bol, verser l'eau chaude et mélanger à l'aide d'un fouet jusqu'à consistance lisse.

3. Incorporer l'édulcorant, puis ajouter la cassonade, le lait, la vanille, l'œuf et la mayonnaise en battant jusqu'à consistance lisse.

4. Dans le même bol, tamiser la farine, la levure chimique et le bicarbonate de soude. Bien mélanger.

5. Verser la préparation dans le moule et lisser le dessus. Cuire au four de 13 à 15 minutes ou jusqu'à ce qu'un cure-dent inséré au centre en ressorte propre.

INFORMATION NUTRITIONNELLE PAR PORTION : Calories : 130 | Glucides : 19 g (Sucres : 2 g) | Gras total : 5 g (0,5 g sat.) | Protéines : 2 g | Fibres : 1 g | Cholestérol : 20 mg | Sodium : 320 mg | Équivalences alimentaires : 1 Féculent, 1 Gras | Choix de glucides : 1 | Valeur PointsPlus Weight Watchers : 2

Gâteau à l'orange et aux amandes

La purée d'orange fraîche donne un gâteau très tendre tandis que les noix permettent de faire un dessert sans trop de calories. Mettez un peu de garniture fouettée allégée sur chaque portion.

1 orange moyenne non épluchée

90 g (¾ de tasse) d'amandes

120 g (¾ de tasse) de farine tout usage (type 55)

2 c. à thé (à café) de levure chimique (poudre à pâte)

½ c. à thé (à café) de sel

3 gros œufs

2 c. à soupe d'huile de canola (colza)

1 c. à thé (à café) d'extrait de vanille

24 g (1 tasse) d'édulcorant sans calories en granulés

2 c. à thé (à café) de sucre glace

1. Placer l'orange entière dans une casserole moyenne. Remplir d'eau aux deux tiers et porter à ébullition. Couvrir et laisser mijoter à feu moyen pendant 1 heure. Couper l'orange en quartiers et épépiner. À l'aide du robot culinaire, réduire les morceaux d'orange (y compris l'écorce) en purée. (On obtiendra environ 160 g/1 tasse de pulpe.)

2. Préchauffer le four à 180 °C/350 °F/gaz 4. Vaporiser d'enduit végétal un moule à charnière de 23 cm (9 po).

3. Moudre finement les amandes à l'aide du robot culinaire et verser dans un bol moyen. Ajouter la farine, la levure chimique et le sel. Mélanger et réserver.

4. Dans un grand bol, à l'aide du batteur électrique (mixeur) réglé à vitesse élevée, fouetter les œufs avec l'huile, la vanille et l'édulcorant pendant 5 minutes ou jusqu'à ce que la préparation devienne pâle et triple de volume. À l'aide d'une spatule ou d'une cuillère en bois, plier délicatement la préparation d'amandes dans la préparation d'œufs. Incorporer délicatement la purée d'orange.

5. Verser la préparation dans le moule et cuire au four pendant 35 minutes ou jusqu'à ce qu'un cure-dent inséré au centre du gâteau en ressorte propre. Placer le moule sur une grille et laisser refroidir. Démouler et saupoudrer de sucre glace avant de servir.

INFORMATION NUTRITIONNELLE PAR PORTION (1 morceau) : Calories : 200 | Glucides : 16 g (Sucres : 3 g) | Gras total : 12 g (1,5 g sat.) | Protéines : 7 g | Fibres : 2 g | Cholestérol : 80 mg | Sodium : 230 mg | Équivalences alimentaires : 1 Féculent, 1 Viande extra grasse, 1 Gras | Choix de glucides : 1 | Valeur PointsPlus Weight Watchers : 7

Gâteau renversé à l'ananas

Plus d'ananas et moins de sucre... voilà une bonne façon d'adapter une recette traditionnelle au goût du jour.

2 c. à soupe de beurre

3 c. à soupe de cassonade ou de sucre roux

24 g (1 tasse) d'édulcorant sans calories en granulés

1 c. à thé (à café) de cannelle moulue

6 rondelles d'ananas en conserve, égouttées (réserver 125 ml/½ tasse du jus)

60 g (¼ de tasse) de margarine ou de beurre, ramolli

1 gros œuf

1 c. à thé (à café) d'extrait de vanille

215 g (1 ⅓ tasse) de farine tout usage (type 55)

1 ½ c. à thé (à café) de levure chimique (poudre à pâte)

½ c. à thé (à café) de bicarbonate de soude

60 ml (¼ de tasse) de lait pauvre en matière grasse

1. Placer la grille dans la partie inférieure du four. Préchauffer le four à 180 °C/350 °F/gaz 4. Vaporiser d'enduit végétal un moule à gâteau rond de 20 cm (8 po).

2. Mettre le beurre dans le moule et laisser fondre au four. Saupoudrer uniformément 2 c. à soupe de cassonade, 6 g (¼ de tasse) d'édulcorant et ¾ de c. à thé (à café) de cannelle au fond du moule. Ranger les tranches d'ananas dans le moule et réserver.

3. Dans un bol moyen, à l'aide du batteur électrique (mixeur), battre la margarine avec le reste de la cassonade et de l'édulcorant. Ajouter l'œuf et la vanille et battre jusqu'à consistance lisse.

4. Dans un petit bol, tamiser la farine, la levure chimique, le bicarbonate de soude et le reste de la cannelle. Dans un autre petit bol, mélanger le jus d'ananas réservé et le lait. Faire alterner les ingrédients secs et le jus d'ananas dans la préparation d'œuf.

5. Verser la préparation sur les ananas et cuire au four de 30 à 35 minutes ou jusqu'à ce qu'un cure-dent inséré au centre du gâteau en ressorte propre. Laisser refroidir dans le moule pendant 10 minutes. Passer un couteau entre le gâteau et les parois du moule, puis renverser le gâteau dans une grande assiette.

INFORMATION NUTRITIONNELLE PAR PORTION (1 morceau) : Calories : 195 | Glucides : 26 g (Sucres : 11 g) | Gras total : 8 g (2,5 g sat.) | Protéines : 5 g | Fibres : 1 g | Cholestérol : 60 mg | Sodium : 250 mg | Équivalences alimentaires : 1 Glucide, ½ Fruit | Choix de glucides : 1 ½ | Valeur PointsPlus Weight Watchers : 5

Gâteau épicé à la citrouille

Ce dessert est aussi léger qu'un gâteau mousseline. Ajoutez-y un peu de garniture fouettée allégée et de cannelle pour préserver sa légèreté ou recouvrez-le d'un glaçage au fromage à la crème pour goûter un petit morceau de paradis.

1 boîte de préparation pour gâteau des anges du commerce

180 g (¾ de tasse) de citrouille (potiron) en conserve

1 ¼ c. à thé (à café) de cannelle moulue

½ c. à thé (à café) de muscade moulue

¼ de c. à thé (à café) de gingembre moulu

1 pincée de clou de girofle moulu (facultatif)

Glaçage au choix ou garniture fouettée (facultatif)

1. Dans un grand bol, à l'aide du batteur électrique (mixeur), faire un gâteau des anges en suivant les indications inscrites sur l'emballage. Dans un petit bol, mélanger la citrouille avec les épices. Plier délicatement la citrouille dans la préparation de gâteau en prenant soin de ne pas laisser celle-ci se dégonfler.

2. Verser la préparation dans un moule non graissé de 23 cm x 33 cm (9 po x 13 po) et lisser le dessus. Cuire au four pendant 35 minutes ou jusqu'à ce que le gâteau soit sec et qu'un cure-dent inséré au centre en ressorte propre. Si désiré, couvrir le gâteau refroidi d'un glaçage au choix ou servir avec de la garniture fouettée.

Conseil : *Si vous glacez le gâteau avec 60 g (1 tasse) de garniture fouettée allégée, ajoutez 30 calories et 3 g de glucides par morceau. Avant de faire le gâteau, assurez-vous que le bol et le batteur électrique sont parfaitement propres et exempts de graisse ou d'huile.*

INFORMATION NUTRITIONNELLE PAR PORTION (1 morceau) : Calories : 115 | Glucides : 26 g (Sucres : 23 g) | Gras total : 0 g (0 g sat.) | Protéines : 3 g | Fibres : 0 g | Cholestérol : 0 mg | Sodium : 30 mg | Équivalences alimentaires : 2 Glucides | Choix de glucides : 1 ½ | Valeur PointsPlus Weight Watchers : 2

Gâteau au chocolat sans pareil

En 10 minutes seulement, on peut faire un superbe gâteau au chocolat bon pour la santé. La variante aux amandes est aussi parfaitement recommandable.

60 ml (¼ de tasse) d'huile de canola (colza)

1 gros œuf

1 c. à thé (à café) d'extrait de vanille

60 g (¼ de tasse) de cassonade ou de sucre roux

24 g (1 tasse) d'édulcorant sans calories en granulés

250 ml (1 tasse) de babeurre pauvre en matière grasse

200 g (1 ¼ tasse) de farine à gâteau

1 c. à thé (à café) de bicarbonate de soude

1 c. à thé (à café) de levure chimique (poudre à pâte)

25 g (¼ de tasse) de poudre de cacao (solubilisée de préférence)

60 ml (¼ de tasse) d'eau chaude

2 c. à thé (à café) de sucre glace

1. Préchauffer le four à 180 °C/350 °F/gaz 4. Vaporiser d'enduit végétal un moule à gâteau de 20 cm x 20 cm (8 po x 8 po).

2. Dans un grand bol, à l'aide d'un fouet, mélanger l'huile et l'œuf pendant 1 minute ou jusqu'à consistance épaisse et mousseuse. Ajouter la vanille, la cassonade et l'édulcorant. Battre environ 2 minutes jusqu'à consistance lisse. Verser le babeurre et continuer de battre.

3. Dans le même bol, tamiser la farine, le bicarbonate de soude, la levure chimique et le cacao. Fouetter vigoureusement de 1 à 2 minutes ou jusqu'à ce que la pâte soit lisse. Ajouter l'eau chaude et fouetter jusqu'à consistance lisse. Verser la préparation dans le moule et frapper légèrement le moule sur le plan de travail afin d'éliminer les bulles d'air.

4. Cuire au four de 18 à 20 minutes ou jusqu'à ce qu'un cure-dent inséré au centre en ressorte propre. Éviter de trop cuire. Laisser refroidir sur une grille et saupoudrer de sucre glace juste avant de servir.

Variante : Gâteau aux amandes : *remplacer la farine par 40 g (⅓ de tasse) d'amandes moulues finement et 160 g (1 tasse) de farine tout usage (type 55). Ajouter 1 c. à thé (à café) d'extrait d'amande à l'étape 2. Cuire au four de 22 à 24 minutes. Garnir de glaçage au fromage à la crème et à la noix de coco (page 245) et décorer chaque morceau avec 2 c. à thé (à café) de noix de coco grillée. Ajouter 65 calories et 5 g de gras par morceau de gâteau.*

INFORMATION NUTRITIONNELLE PAR PORTION (1 morceau) : Calories : 160 | Glucides : 22 g (Sucres : 8 g | Gras total : 7 g (1 g sat.) | Protéines : 3 g | Fibres : 1 g | Cholestérol : 25 mg | Sodium : 180 mg | Équivalences alimentaires : 1 ½ Glucide, 1 Gras | Choix de glucides : 1 ½ | Valeur PointsPlus Weight Watchers : 5

Petits gâteaux et bons glaçages

Petits gâteaux au chocolat 90 calories

Ce succulent dessert est bon pour la taille malgré son goût prononcé de chocolat.
Si vous ne vaporisez pas les chemises à gâteaux d'enduit végétal, les gâteaux colleront au papier
parce qu'ils sont particulièrement tendres.

12 PORTIONS

25 g (¼ de tasse) + 2 c. à soupe de poudre de cacao

125 ml (½ tasse) d'eau chaude

18 g (¾ de tasse) d'édulcorant sans calories en granulés

2 c. à soupe de cassonade ou de sucre roux

80 ml (⅓ de tasse) de lait pauvre en matière grasse

1 ½ c. à thé (à café) d'extrait de vanille

1 gros œuf

120 g (½ tasse) de mayonnaise allégée

160 g (1 tasse) de farine tout usage (type 55)

1 c. à thé (à café) de levure chimique (poudre à pâte)

1 c. à thé (à café) de bicarbonate de soude

1. Préchauffer le four à 160 °C/325 °F/gaz 3. Chemiser les 12 cavités d'un moule à muffins et vaporiser d'enduit végétal (sauf si on utilise des chemises en papier d'aluminium).

2. Dans un grand bol, à l'aide d'un fouet, mélanger le cacao et l'eau chaude jusqu'à consistance lisse.

3. Incorporer l'édulcorant en battant jusqu'à consistance lisse, puis ajouter la cassonade, le lait, la vanille, l'œuf et la mayonnaise. Continuer de battre jusqu'à consistance lisse.

4. Dans le même bol, tamiser peu à peu la farine, la levure chimique et le bicarbonate de soude. Bien mélanger.

5. Répartir la préparation dans les moules. Cuire au four pendant 13 minutes ou jusqu'à ce qu'un cure-dent inséré au centre d'un gâteau au centre en ressorte propre.

Conseil : *Préparés avec de l'édulcorant sans calories en granulés, ces petits gâteaux ne renferment que 2 g de sucre et moins de glucides qu'une tranche de pain ordinaire.*

INFORMATION NUTRITIONNELLE PAR PORTION (1 petit gâteau) : Calories : 90 | Glucides : 13 g (Sucres : 2 g) | Gras total : 3,5 g (1 g sat.) | Protéines : 2 g | Fibres : 1 g | Cholestérol : 5 mg | Sodium : 220 mg | Équivalences alimentaires : 1 Glucide | Choix de glucides : 1 | Valeur PointsPlus Weight Watchers : 2

Petits gâteaux aux fraises

Voici le petit gâteau idéal pour tous les amateurs de fraises. Des fraises fraîches, de la confiture de fraises et un glaçage aux fraises : un trio de saveurs qui ne peut que vous faire succomber à la tentation !

200 g (1 ¼ tasse) de farine tout usage (type 55)

1 c. à thé (à café) de levure chimique (poudre à pâte)

½ c. à thé (à café) de bicarbonate de soude

60 g (¼ de tasse) de shortening végétal

16 g (⅔ de tasse) d'édulcorant sans calories en granulés

1 gros œuf

125 g (½ tasse) de confiture de fraises pauvre en sucre

1 c. à thé (à café) d'extrait de vanille

160 ml (⅔ de tasse) de lait pauvre en matière grasse

1 recette de glaçage aux fraises (page 246)

Fraises fraîches, coupées en deux ou en tranches (facultatif)

1. Préchauffer le four à 180 °C/350 °F/gaz 4. Chemiser les 12 cavités d'un moule à muffins et vaporiser d'enduit végétal (sinon les gâteaux colleront au papier).

2. Dans un bol moyen, tamiser la farine, la levure chimique et le bicarbonate de soude. Réserver.

3. Dans un grand bol, à l'aide du batteur électrique (mixeur) réglé à vitesse moyenne, battre le shortening pendant 2 minutes. Ajouter l'édulcorant et battre 2 minutes de plus. Ajouter l'œuf, la moitié de la confiture et la vanille. Mélanger jusqu'à consistance homogène.

4. À l'aide d'une spatule, mélanger délicatement le tiers de la préparation de farine avec les ingrédients humides. Incorporer le tiers du lait. Répéter jusqu'à ce que tous les ingrédients soient bien amalgamés en évitant de trop mélanger inutilement.

5. Répartir la préparation dans les moules. Cuire au four de 13 à 15 minutes ou jusqu'à ce qu'un cure-dent inséré au centre d'un gâteau en ressorte propre. Laisser refroidir sur une grille.

6. À l'aide d'un vide-pomme, faire un trou au centre de chaque petit gâteau. Farcir chacun avec 1 c. à thé (à café) de confiture. À l'aide d'une cuillère ou d'une poche à douille, garnir le dessus avec 2 c. à soupe de glaçage aux fraises. Décorer avec un morceau de fraise fraîche.

INFORMATION NUTRITIONNELLE PAR PORTION (1 PETIT GÂTEAU) : Calories : 160 | Glucides : 18 g (Sucres : 5 g) | Gras total : 7 g (3 g sat.) | Protéines : 3 g | Fibres : 0 g | Cholestérol : 25 mg | Sodium : 140 mg | Équivalences alimentaires : 1 Glucide, 1 Gras | Choix de glucides : 1 | Valeur PointsPlus Weight Watchers : 4

Petits gâteaux au fromage

Ces petits gâteaux se conservent jusqu'à 3 jours au réfrigérateur. Avec leurs 9 g de glucides par portion,
il serait fou de s'en passer!

50 g (½ tasse) de biscuits graham au chocolat, broyés (environ 8 biscuits)

2 c. à soupe de margarine ou de beurre, fondu

18 g (¾ de tasse) d'édulcorant sans calories en granulés

1 c. à soupe de poudre de cacao non sucrée (solubilisée de préférence)

240 g (1 tasse) de fromage à la crème allégé

240 g (1 tasse) de fromage à la crème sans gras à température ambiante

1 gros œuf

2 gros blancs d'œufs

2 c. à thé (à café) de jus de citron

2 c. à thé (à café) d'extrait de vanille

180 g (¾ de tasse) de crème sure ou aigre allégée

1. Préchauffer le four à 160 °C/325 °F/gaz 3. Chemiser les 12 cavités d'un moule à muffins et vaporiser d'enduit végétal (sinon les gâteaux colleront au papier).

2. Dans un petit bol, mélanger la chapelure de biscuits, la margarine, 2 c. à soupe d'édulcorant et le cacao. Remplir chaque cavité du moule avec 1 c. à soupe comble de ce mélange et presser fermement pour former une croûte compacte. Réserver.

3. Dans un grand bol, à l'aide du batteur électrique (mixeur), battre les fromages et 12 g (½ tasse) d'édulcorant. Ajouter l'œuf, les blancs d'œufs, le jus de citron et 1 c. à thé (à café) d'extrait de vanille. Continuer de battre jusqu'à consistance homogène. Incorporer 125 ml (½ tasse) de crème sure.

4. Verser 2 c. à soupe de la préparation dans chaque moule. Cuire au four de 13 à 15 minutes environ. Laisser refroidir avant de couvrir de glaçage.

5. Dans un petit bol, mélanger le reste de la crème sure, de l'édulcorant et de la vanille. Garnir chaque petit gâteau avec 2 c. à thé (à café) de glaçage. Laisser refroidir à température ambiante, puis réfrigérer pendant au moins 2 heures avant de servir.

INFORMATION NUTRITIONNELLE PAR PORTION (1 petit gâteau) : Calories : 130 | Glucides : 9 g (Sucres : 4 g) | Gras total : 7 g (4 g sat.) | Protéines : 7 g | Fibres : 0 g | Cholestérol : 35 mg | Sodium : 190 mg | Équivalences alimentaires : ½ Glucide, 1 Gras | Choix de glucides : ½ | Valeur PointsPlus Weight Watchers : 3

Glaçage au fromage à la crème

Le fromage à la crème permet de faire un glaçage à faible teneur en gras et en sucre. Celui-ci a un bon goût de gâteau au fromage et illumine tout ce qu'il touche.

DONNE 375 ML (1 ½ TASSE)

120 g (½ tasse) de fromage à la crème pauvre en matière grasse, ramolli

80 g (⅓ de tasse) de fromage à la crème sans gras, ramolli

4 c. à soupe d'édulcorant sans calories en granulés

45 g (¾ de tasse) de garniture fouettée allégée, décongelée

1. Dans un petit bol, à l'aide du batteur électrique (mixeur), battre les fromages jusqu'à consistance lisse. Ajouter l'édulcorant et battre 1 minute de plus.

2. À basse vitesse, incorporer la moitié de la garniture fouettée en battant jusqu'à consistance duveteuse. À l'aide d'une spatule, incorporer délicatement le reste de la garniture fouettée.

Variantes : Glaçage au fromage à la crème et au miel : *remplacer 1 c. à soupe d'édulcorant par 2 c. à thé (à café) de miel et incorporer une pincée de cannelle moulue.* **Glaçage au fromage la crème et à la noix de coco :** *ajouter ½ c. à thé (à café) d'extrait de noix de coco à la préparation de fromage.*

INFORMATION NUTRITIONNELLE PAR PORTION (2 c. à soupe) : Calories : 40 | Glucides : 2 g (Sucres : 1 g) | Gras total : 2 g (1 g sat.) | Protéines : 2 g | Fibres : 0 g | Cholestérol : 0 mg | Sodium : 40 mg | Équivalences alimentaires : ½ Gras | Choix de glucides : 0 | Valeur PointsPlus Weight Watchers : 1

Glaçage aux fraises

Essayez ce glaçage avec les biscuits-sandwichs au chocolat sans cuisson (page 222), le gâteau au chocolat à l'ancienne (page 226) ou les petits gâteaux des anges et glaçage au citron (page 239).

DONNE 375 ML (1 ½ TASSE)

80 g (⅓ de tasse) de fromage à la crème allégé

80 g (⅓ de tasse) de crème sure ou aigre allégée

3 c. à soupe d'édulcorant sans calories en granulés

3 c. à soupe de confiture de fraises pauvre en sucre

½ c. à thé (à café) d'extrait de vanille

60 g (1 tasse) de garniture fouettée allégée, décongelée

1. Dans un petit bol, à l'aide du batteur électrique (mixeur) réglé à basse vitesse, battre le fromage jusqu'à consistance lisse. Ajouter la crème sure, l'édulcorant, la confiture et la vanille. Continuer de battre jusqu'à consistance lisse.

2. À l'aide d'une spatule, incorporer délicatement la moitié de la garniture fouettée. Ajouter le reste de la garniture fouettée et mélanger.

3. Couvrir le bol et réfrigérer jusqu'au moment du service.

INFORMATION NUTRITIONNELLE PAR PORTION (1 ½ c. à soupe) : Calories : 30 | Glucides : 2 g (Sucres : 1 g) | Gras total : 1,5 g (0,5 g sat.) | Protéines : 1,5 g | Fibres : 0 g | Cholestérol : 0 mg | Sodium : 40 mg | Équivalences alimentaires : ½ Gras | Choix de glucides : 0 | Valeur PointsPlus Weight Watchers : 1

Glaçage à la garniture fouettée au chocolat

Voici la touche finale qui rehausse admirablement le gâteau au chocolat sans pareil (page 231), le gâteau au chocolat à l'ancienne (page 226) et les petits gâteaux au chocolat 90 calories (page 233). Il suffit d'y goûter une seule fois pour avoir envie de l'essayer avec différents types de gâteaux.

DONNE **500 ML (2 TASSES)**

120 g (½ tasse) de fromage à la crème allégé

25 g (¼ de tasse) de poudre de cacao

8 g (⅓ de tasse) d'édulcorant sans calories en granulés

½ c. à thé (à café) d'extrait de vanille

120 g (2 tasses) de garniture fouettée allégée, décongelée

1. Dans un petit bol, à l'aide du batteur électrique (mixeur), battre le fromage, le cacao, l'édulcorant et la vanille jusqu'à consistance lisse.

2. À basse vitesse, incorporer la moitié de la garniture fouettée. Ajouter le reste de la garniture fouettée et battre rapidement à basse vitesse jusqu'à consistance duveteuse.

INFORMATION NUTRITIONNELLE PAR PORTION (2 c. à soupe) : Calories : 40 | Glucides : 3 g (Sucres : 1 g) | Gras total : 2 g (1,5 g sat.) | Protéines : 2 g | Fibres : 0 g | Cholestérol : 0 mg | Sodium : 80 mg | Équivalences alimentaires : ½ Gras | Choix de glucides : 0 | Valeur PointsPlus Weight Watchers : 1

Glaçage au fudge

Un succès garanti avec les petits gâteaux au chocolat et au beurre d'arachide (page 241), les petits gâteaux aux bananes (page 236) et les petits gâteaux au chocolat 90 calories (page 233). On peut aussi réchauffer ce glaçage au micro-ondes et le verser ensuite sur de la crème glacée ou des fraises fraîches.

DONNE 125 ML (½ TASSE)

3 c. à soupe de grains de chocolat semi-sucrés

60 ml (¼ de tasse) de crème 11,5 % ou fleurette

18 g (¾ de tasse) d'édulcorant sans calories en granulés

½ c. à thé (à café) d'extrait de vanille

60 g (½ tasse) de sucre glace, tamisé

35 g (⅓ de tasse) de poudre de cacao (solubilisée de préférence)

1. Dans un bol moyen convenant au micro-ondes, mettre le chocolat, la crème et l'édulcorant. Chauffer au micro-ondes pendant 1 minute. Ajouter la vanille et remuer jusqu'à ce que le chocolat soit complètement fondu.

2. À l'aide d'un fouet ou du batteur électrique (mixeur) réglé à basse vitesse, incorporer le sucre glace en battant jusqu'à consistance lisse. Tamiser le cacao dans le bol et battre jusqu'à consistance homogène. (Le glaçage épaissira en refroidissant. Pour le clarifier, il suffit de le réchauffer au micro-ondes de 15 à 20 secondes.)

INFORMATION NUTRITIONNELLE PAR PORTION (2 c. à thé /à café) : Calories : 35 | Glucides : 7 g (Sucres : 3 g) | Gras total : 1 g (0 g sat.) | Protéines : 0 g | Fibres : 0 g | Cholestérol : 0 mg | Sodium : 0 mg | Équivalences alimentaires : ½ Glucide | Choix de glucides : ½ | Valeur PointsPlus Weight Watchers : 1

Remerciements

Je suis très reconnaissante envers les personnes suivantes.
Chacune d'elles m'a apporté son précieux soutien à sa manière.

Roberta Cuneo et la chef Judy LaCara, mes assistantes infatigables
qui n'ont pas hésité à tester les recettes plusieurs fois. Elles ont fait les achats,
cuisiné et nettoyé avec un professionnalisme exemplaire.

Les chefs Michele Musel, Michele Dudash, Anne-Marie Ramo et Sophia Ortiz
ainsi que Charisse Petruno, Miriam Rubin et tout particulièrement Megan Waldrop
pour votre enthousiasme extraordinaire et vos recettes savoureuses.

Patricia O'Keefe Girbal, Paulette Thomson et Diane Welland
pour votre aide fort appréciée.

Les stagiaires Krista Douglass et Noelle Stephens.
Vous avez un brillant avenir devant vous!

Deanna Segrave-Daly, August Terrier et P.J. Dempsey
pour votre amour de l'écriture.

Le photographe Steve Legato, les stylistes culinaires Carole Haffey,
John Haffey et Bonne DiTomo ainsi que l'accessoiriste Mary Ellen.
Vous êtes extrêmement compétents!

L'équipe formidable de la chaîne américaine de vente directe à domicile QVC:
Jessica Hart, Christina Pennypacker, Lauren Baker ainsi que les excellents hôtes,
dont le fin gourmet David Venable.

Ma famille et mes amis de partout dans le monde, dont Nancie Crosby.
Merci à Chuck, Stephen et James pour votre patience,
votre amour et votre soutien indéfectibles.

Index par ingrédients

Index alphabétique